Santa

Santa

Federico Gamboa

Grupo Editorial Tomo, S. A. de C. V.
Nicolás San Juan 1043
03100 México, D. F.

1a. edición, julio 2004.
2a. edición, noviembre 2005.

©   2005, Grupo Editorial Tomo, S.A. de C.V.
Nicolás San Juan 1043, Col. Del Valle
03100 México, D.F.
Tels. 5575-6615, 5575-8701 y 5575-0186
Fax. 5575-6695
http://www.grupotomo.com.mx
ISBN: 970-775-000-6
Miembro de la Cámara Nacional
de la Industria Editorial No. 2961

Diseño de portada: Trilce Romero
Formación itpográfica: Rafael Rutiaga
Supervisor de producción: Leonardo Figueroa

Impreso en México - *Printed in Mexico*

Prólogo

Federico Gamboa nace en la Ciudad de México el 22 de diciembre de 1864. A los 16 años de edad viaja con su padre a Nueva York, donde vive algunos meses. El conocimiento de la realidad norteamericana lo dejaría muy impresionado.

Al regresar a México inicia la carrera de Derecho, pero no logra terminarla a causa de la muerte de su padre y de su precaria situación económica. Es entonces cuando comienza a dedicarse a una de las facetas del escritor: el periodismo.

Gracias a sus estudios de leyes, incursiona en el área diplomática, y en 1888 empieza su labor como embajador. Representó a México en Guatemala, Argentina, España y en los Países Bajos. De 1902 a 1905 se desempeñó como primer secretario de la Embajada de México en Washington. Posteriormente, llegó a ocupar el puesto de Secretario de Relaciones Exteriores durante el régimen de Victoriano Huerta.

Cuando triunfa el movimiento revolucionario, con Carranza al frente, Federico Gamboa es desterrado. Al regresar del exilio se dedica a otras actividades y se aparta por completo del ámbito político. Tiempo después, muere en la Ciudad de México el 15 de agosto de 1939.

Dentro de su producción literaria emcontramos los títulos *Del natural, Suprema ley, Metamorfosis, Santa, Apariencias, Reconquista, La llaga*, y un libro de memorias:

Impresiones y recuerdos. De todos sus escritos la obra reconocida como magistral es *Santa*.

Federico Gamboa comenzó a escribir esta novela en 1898, pero la obra se publicó hasta 1903.

En la trama de esta historia se descubren distintos aspectos, tanto morales como sociales y sentimentales, relacionados con la vida de la protagonista, una muchacha humilde, pero muy hermosa, que al ser repudiada por sus familiares escoge el camino fácil de la prostitución y deja de lado los buenos sentimientos.

El autor maneja los tiempos narrativos en forma excepcional, combinando el presente con el pasado, de manera que el lector se entera de cómo fue la vida de Santa antes de llegar al burdel.

Otra cosa que encontramos en esta novela, y quizá la más importante, es una historia de amor, un amor puro y desinteresado que al final triunfa después de muchas peripecias, pero que, desafortunadamente, no puede continuar.

Rafael Rutiaga

PRIMERA PARTE

Capítulo 1

—Aquí es —dijo el cochero deteniendo de golpe a los caballos, que sacudieron la cabeza hostigados por lo brusco del movimiento.

La mujer asomó la cara, miró a un lado y otro de la portezuela, y como si dudase o no reconociese el lugar, preguntó admirada:

—¡Aquí...! ¿En dónde?

El cochero, contemplándola canallamente desde el pescante, apuntó con el látigo tendido:

—Allá, al fondo, en aquella puerta cerrada.

La mujer saltó del carruaje, del que extrajo un lío de mezquino tamaño; metióse la mano en el bolsillo de su enagua y le alargó un duro al auriga:

—Cóbrese usted.

Muy lentamente y sin dejar de mirarla, el cochero se puso en pie, sacó diversas monedas del pantalón que recontó luego en el techo del vehículo y, por último, le devolvió su peso:

—No me alcanza; me pagará usted otra vez, cuando me necesite por la tarde. Soy del sitio de San Juan de Letrán, número 317, y bandera colorada. Sólo dígame usted cómo se llama...

—Me llamo Santa, pero cóbrese, no sé si me quedaré en esa casa... Guarde todo el peso —exclamó después de breve reflexión, ansiosa de terminar el incidente.

Y sin aguardar más, echóse a andar de prisa, inclinando el rostro, medio oculto el cuerpo todo, bajo el pañolón que algo se le resbalaba de los hombros; cual si la apenara encontrarse allí a tales horas, con tanta luz y tanta gente que de seguro la observaba, que de fijo sabía lo que ella iba a hacer. Casi sin darse cuenta de que a su derecha quedaba un jardín anémico y descuidado, ni de que a su izquierda había una fonda de dudoso aspecto y mala catadura, siguió adelante, hasta llamar a la puerta cerrada. Sí advirtió confusamente, algo que semejaba césped raquítico y roído a trechos; arbustos enanos y uno que otro tronco de árbol; sí le llegó un tufo a comida y a aguardiente, rumor de charlas y de risas de hombres; aun le pareció —pero no quiso cerciorarse deteniéndose o volviendo el rostro— que varios de ellos se agrupaban en el vano de una de las puertas, que sin recato la contemplaban y proferían apreciaciones en alta y destemplada voz, acerca de sus andares y modales. Toda aturdida, desfogóse con el aldabón y llamó varias veces, con tres golpes en cada ocasión.

La verdad es que nadie, fuera de los ociosos parroquianos del fonducho, paró mientes en ella; sobre que el barrio, con ser barrio galante y muy poco tolerable por las noches, de día trabaja, y duro, ganándose el sustento con igual decoro que cualquiera otro de los de la ciudad. Abundan las pequeñas industrias; hay un regular taller de monumentos sepulcrales; dos cobrerías italianas; una tintorería francesa de grandes rótulos y enorme chimenea de ladrillos, adentro, en el patio; una carbonería, negra siempre, despidiendo un polvo finísimo y terco que se adhiere a los transeúntes, los impacienta y obliga a violentar su marcha y a sacudirse con el pañuelo. En una esquina, pintada al temple, destácase La Giralda, carnicería a la moderna, de tres puertas, piso de piedra artificial, mostrador de mármol y hierro, con pilares muy delgados para que el aire lo ventile todo libremente, con grandes balanzas que deslumbran de puro limpias; con su percha metálica en semicírculo, de cuyos gruesos garfios penden las reses descabezadas, inmensas, abiertas por en medio, luciendo el blanco sucio de sus costillas y el asqueroso rojo sanguinolento de carne fresca y recién muerta; con nubes de moscas inquietas, voraces, y uno o dos mastines callejeros, corpulentos, de pelo erizo y fuerte, echados sobre la acera, sin reñir, dormitando o atisbándose las pulgas con la mirada fija, las orejas enhiestas, muy cerca el hocico del sitio invadido, en paciente espera de las piltrafas y desperdicios con que los regalan. En la esquina opuesta, con bárbaras pinturas murales, un haz de banderolas en el mismísimo ángulo de las paredes de entrambas calles y sendas galerías de zinc en cada una de las puertas, divísase La Vuelta de los Reyes Magos, acreditado expendio del famoso Santa Clara y del sin rival San Antonio Ametusco. Además del jardín, que posee una fuente circular, de surtidor primitivo y charlatán por la mucha agua que arroja sin cansarse ni disminuirla nunca, no obstante las furiosas embestidas de los aguadores del vecindario que descuidadamente desparrama más de la que ha menester, con lo cual los bordes y las cercanías, están siempre empapados; aparte del tal jardín, luce la calle hasta cinco casas bien encaradas, de tres y cuatro pisos, balcones calados y cornisas de yeso; la cruzan rieles de tranvías; su piso es de adoquines de cemento comprimido y, por su longitud, disfruta de tres focos eléctricos.

¡Ah! También tiene, frente por frente del jardín que oculta los prostíbulos, una escuela municipal, para niños...

Con tan diversos elementos y siendo, como era en aquel día, muy cerca de las doce, hallábase la calle en pleno movimiento y en plena vida. El sol, un sol estival de fines de agosto, caía a raudales, arrancando rayos de los rieles y una tenue evaporación de junto a los bordes de las aceras, húmedos de la lluvia de la víspera. Los tranvías, con el cascabeleo de los collares de sus mulas a galope y el ronco clamor de las cornetas de sus cocheros, deslizábanse con estridente ruido apagado, muy brillantes, muy pintados de amarillo o de verde, según su clase, colmados de pasajeros cuyos tocados y cabezas se distinguían apenas, vueltas al vecino de asiento, dobladas sobre algún diario abierto o contemplando distraídamente, en forzado perfil, las fachadas fugitivas de los edificios.

Del taller de los monumentos sepulcrales de las cobrerías italianas y de La Giralda salían, alternados, los golpes del cincel contra el mármol y el granito; los martillazos acompasados en el cobre de casos y peroles; y el eco del hacha de los carniceros que unas veces caían encima de los animales, y encima de la piedra del tajo, otras. Los vendedores ambulantes pregonaban a gritos sus mercancías, la mano en forma de bocina, plantados en mitad del arroyo y posando el mirar en todas direcciones. Los transeúntes describían moderadas curvas para no tropezar entre sí; y escapados por los abiertos balcones de la escuela, cerníanse fragmentos errabundos de voces infantiles, repasando el silabario con monótono sonsonete:

—B-a, ba; b-e, be; b-i, bi; b-o, bo...

Como tardasen en abrirle a Santa, involuntariamente se volvió a mirar el conjunto; pero cuando estalló en la Catedral el repique formidable de las doce, cuando el silbato de vapor de la tintorería francesa lanzó a los aires, en recta columna de humo, un pitazo angustioso y agudísimo, y sus operarios y los de los demás talleres, recogiéndose las blusas azulosas y mugrientas, encendiendo el cigarrillo con sus manos percudidas, empezaron a salir a la calle y a obstruir la acera mientras se despedían con palabrotas, con encogimientos de espaldas los serios, y los viciosos, de bracero, enderezaban sus pasos a Los Reyes Magos; cuando los chicos de la escuela, empujándose y armando un zipizape de mil demonios, libros y pizarras por los suelos, los entintados dedos enjugando lágrimas momentáneas, volando las gorras y los picarescos semblantes enmascarados de traviesa alegría, entonces Santa llamó a la puerta con mayor fuerza aún.

—¡Qué prisa se trae usted, caramba...! ¿Doña Pepa, la encargada...? Sí está, pero está durmiendo.

—Bueno, la esperaré, no vaya usted a despertarla —repuso Santa muy aliviada de haber escapado a las curiosidades de la calle—, la esperaré aquí, en la escalera...

Y de veras se sentó en la segunda grada de una escalera de piedra, de media espiral, que arrancaba a pocos pasos de la puerta. La portera, humanizada ante la belleza de Santa, primero sonrió con simiesca sonrisa, y luego la sujetó a malicioso interrogatorio: ¿iba a quedarse con ella, en esa casa? ¿Dónde había estado antes?

—Usted no es de México... —preguntó la portera.

—Sí soy, es decir, de la capital no, pero sí de muy cerca. Soy de Chimalistac... abajo de San Ángel —añadió a guisa de explicación—, se puede ir en los trenes... ¿No conoce usted?...

La portera sólo conocía San Ángel por sus ferias anuales, a las que en ocasiones acompañaba a la "patrona", que se perecía por el juego del "monte". Y cautivada por la figura de Santa, con su exterior candoroso y simple, fue aproximándosele hasta recargar un codo en el barandal de la propia escalera; condolida casi de verla allí, dentro del antro que a ella le daba de comer; antro que en cortísimo tiempo devoraría aquella hermosura y aquella carne joven que ignoraba seguramente todos los horrores que le esperaban.

—¿Por qué va usted a echarse a esta vida...?

No le contestó Santa, porque en el mismo momento oyóse el estruendo de una vidriera abierta de repente y una voz femenil, muy española:

—¡Eufrasia! Pide dos anisados grandes con agua gaseosa en casa de Paco, dile que son para mí...

Alzóse de hombros la interlocutora de Santa, a modo de quien se resigna a padecer de incurable dolencia; introdujo a "la nueva" en el salón pequeño, y sin más rebozo ni más nada, salió a cumplir el mandado, no sin censurar la carencia de monedas con un portazo sonoro y seco.

Como si el pedido de los dos anisados representase una campanilla de aviso, la casa entera despertó, de manera rara, muy poco a poco, confundidos los cantos con las órdenes a gritos, las risas con los chancleteos sospechosos; el abrir y cerrar de vidrieras con la caída de aguas en baldes invisibles; las carcajadas de hombres con una que otra insolencia, brutal, descarada, ronca, que salía de una garganta femenina y hendía los aires impúdicamente... Santa escuchaba azorada, y su mismo azoramiento fue parte a que no siguiese el primer impulso de escapar y volverse, si no a su casa —porque ya era imposible—, siquiera a otra parte donde no se dijesen aquellas cosas. Pero no se atrevió ni a moverse, temerosa de que la descubrieran o un crujido de su silla la delatara a esos hombres y mujeres que se adivinaban allá, dentro de las habitaciones del inmueble, en desnudeces y contactos extraños. De tal suerte que no se dio cuenta del regreso de Eufrasia, y la sobresaltó el que se le acercara diciéndole:

—¿Quiere usted pasar a ver a doña Pepa? Ya despertó.

Siempre confusa, siguió a la criada escaleras arriba; con ella cruzó dos pasillos oscuros y mal olientes, y una sala con dos camastros. En un rincón, un piano vertical sin cerrar lucía su teclado, que en la penumbra parecía una dentadura monstruosa. Luego atravesó Santa un corredor; bajó una escalera, y en el ángulo del reducidísimo patio, pasaron frente a una puerta de vidrios opacos.

—Señora —gritó Eufrasia, al par que llamaba en ellos con los nudillos—, aquí está "la nueva".

Del interior del cuarto contestó una voz gruesa...

—Entra, hija, entra, empujando nada más...

La propia Eufrasia empujó, cedió la puerta, y Santa, que a nadie descubría en las negruras de la estancia cerrada, traspuso el dintel.

—Acércate, chiquilla... ¡Cuidado!... Sí, es una mesa. Pero acércate más, por ahí, por la derecha... eso es, acércate hasta la cama...

Hasta la cama se acercó Santa, sin ver apenas, guiada por las palabras que oía y no avanzando sino con muchos miramientos y pausas. Chocábale oír, a la vez que las palabras de aquella mujer que aún no conocía, unos ronquidos tenaces de hombre corpulento, que no cesaron ni cuando con las rodillas topó contra el borde de la cama.

—¿Con que tú eres la del campo? —preguntó Pepa, medio incorporándose sobre las almohadas que por almidonadas y limpias sonaron como si estuviesen fabricadas de materia quebradiza—, y ¿cómo te llamas?... Aguarda, aguarda, no me digas... Si ya lo sé, nos lo contó Elvira...

—Me llamo Santa —replicó ésta con la misma mortificación con que poco antes lo había declarado al cochero.

—Eso, eso es, Santa —repitió Pepa riendo—, ¡mira que tiene gracia!... ¡Santa!... Sólo tu nombre te dará dinero, ya lo creo; es mucho nombre ése...

Y al compás de su risa, sonaban ingratamente los resortes del lecho. Los ronquidos, de súbito, se interrumpieron.

—Pero, niña —exclamó Pepa, que había comenzado a palparla como al descuido—, ¡qué durezas te traes!... ¡Si pareces de piedra!... ¡Vaya una Santita!

Y sus manos expertas, sus manos de meretriz envejecidas en el oficio, posábanse y detenían con complacencias inteligentes en las mórbidas curvas de la recién llegada, quien se puso en cobro de un salto, con la cara que le ardía y ganas de llorar o de arremeter contra la que se permitía examen tan liviano.

—¿Qué ocurre? —interrogó el galán acostado junto a Pepa.

—Que ha venido "la nueva". Duérmete.

—¡La nueva!... ¡La nueva!... —y se oyó distintamente que se desperezaba al volverse a la pared y que reía muy por lo bajo.

Pepa saltó de la cama, dirigiéndose a abrir las maderas de una ventana, con la seguridad del que pisa terreno conocido. La pieza se iluminó.

¡Ah! ¡La grotesca figura de Pepa, a pesar del largo camisón que le cubría los desperfectos del vicio y de los años! Sus carnes marchitas, exhuberantes en los sitios que el hombre ama y estruja, creeríase que no eran suyas o que se hallaban a punto de abandonarla, por inválidas e inservibles ya para continuar librando la diaria y amarga batalla de las casas de prostitución. Conforme se inclinó a recoger una media; conforme levantó los desnudos brazos para encender un cigarro; conforme hundió en la jofaina la cara y el cuello, su enorme vientre de vieja bebedora, sus lacios senos abultados de campesina gallega oscilaban asquerosamente, con algo de bestial en sus oscilaciones. Sin el menor asomo de pudor, seguía en sus arreglos matutinos, locuaz con Santa que, de vez en cuando, le respondía con monosílabos. Desde luego simpatizó con ella, como simpatizaban todos frente a la provocativa belleza de la muchacha.

—Apuesto a que te habrán dicho horrores de nosotras, de nuestras casas, ¿verdad...?

Santa se encogió de hombros y maldibujó en el aire, con los brazos extendidos, un gesto vago... ¿Qué sabía ella?...

—Vengo —agregó— porque ya no quepo en mi casa; porque me han echado mi madre y mis hermanos, porque no sé trabajar, y sobre todo... porque juré que pararía en esto y no lo creyeron. Me da lo mismo que estas casas y esta vida sean como se cuenta o que sean peores... mientras más pronto concluya una, será mejor. Por suerte, yo no quiero a nadie... —y se puso a mirar los dibujos de la alfombra, algo dilatada la nariz, los ojos a punto de llorar.

Ocupada en pasarse una esponja por el cuello y las mejillas, Pepa asentía sin formular palabra, reconociendo para sus adentros de hembra vulgar y práctica, una víctima más en aquella muchacha quejosa e iracunda, a la que sin duda debía doler espantosamente algún reciente abandono. ¡La eterna y cruel historia de los sexos en su alternativo e inevitable acercamiento y alejamiento, que se aproximan con el beso, la caricia y la promesa, para separarse, a poco, con la ingratitud, el despecho y el llanto!... Pepa conocía esa historia, habíala leído; no siempre había sido así —y señalaba sus muertos encantos, los que escasamente sólo le servían ya para encadenar a un toro humano, como el acostado en su propia cama, borracho perdido, que acababa su mísero vivir sin oficio ni beneficio, prófugo o licenciado de Dios sabría cuántos presidios, con los dineros que ganaba ella, Pepa, peso a peso y a costa de... una porción de cosas.

—¿Quieres beber un trago conmigo? —dijo y sacó de su ropero una botella de aguardiente blanco—; toma, no seas tonta, esto es lo único que nos da fuerza para resistir los desvelos... ¿No...? Bueno, ya te acostumbrarás.

Apuró su copa bien llena, de pie junto a Santa y continuó en su arranque de confidencias repentinas, principiadas tras el móvil de imponerse a la neófita y seguidas por interna necesidad de dar salida de tiempo en tiempo a lo visto y sufrido; de desahogarse un tantito; de dejar que esa especie de agua estancada y putrida se esparciese con su charla y fuera a anegar otros corazones y otras mujeres, sin que se le ocultara que no le hacían maldito el caso.

—Tú misma, que ahora me ves y oyes espantada, tampoco has de apreciar esto. Te sientes sana, con pocos años, con una herida allá en tu alma, y no te conformas; quieres también que tu cuerpo la pague... pues menudo que es el desengaño, hija; el cuerpo se nos cansa y se nos enferma... huirán de ti y te pondrás como yo, hecha una lástima, mira...

E impúdicamente se levantó el camisón, con trágico ademán triste, y Santa miró, en efecto, unas pantorrillas nervudas, casi rectas; unos muslos deformes, ajados, y un vientre colgante, descolorido, con hondas arrugas que lo partían en toda su anchura, como esas tierras exhaustas que han rendido cosechas y cosechas enriqueciendo ciegamente al propietario, y que al cabo pierden su secreta e irreemplazable savia, para sólo conservar la huella del arado, a modo de marca infamante y perpetua.

—Fui muy guapa, no te creas, tanto o más que tú, y, sin embargo, me encuentro atroz, reducida a cuidar de una casa de éstas, y gracias... ¡Diego! ¡Diego!, que me voy, hombre... ahí queda el "catalán" sí, en el lavabo.

—Que te vas, ¿y por qué te vas? —balbuceó el hombrón, que cerró los ojos arrugándolos mucho, de encontrarse con los chorros de luz que entraban por puerta y ventana.

—Porque hay que llevar al registro a esta criatura y hay que bañarla y alistarla para la noche. ¿No has visto lo mismo en cien ocasiones?

—Anda y que te maten, gorrina, a ti y a la *nueva* —recalcó, riendo por lo bajo una segunda vez—. Alcánzame el aguardiente, prenda...

En verdadero periodo sonambúlico encaminóse Santa en pos de Pepa. Salieron por diverso zaguán; costearon el jardincillo entrevisto por Santa cuando su arribo; se metieron en un coche que parecía apostado esperándolas; dio Pepa una orden, y ¡hala!, a correr varias calles, a torcer en la esquina de ésta, a detenerse en la mitad de aquélla, a esquivar un carro, a igualarse momentáneamente con un tranvía; y muchos vehículos, mucha gente, mucho sol, mucho ruido...

Pepa iba fumando, risueña, sin cuidarse de Santa, a la que acababa de comunicarle parte de sus amarguras de pecadora empedernida. De pronto, paró el carruaje a la orilla de otro jardín pequeño que separa a dos iglesias, frente a un parque grande, la Alameda —si no engañaban a Santa sus recuerdos—, y Pepa, muy seria y autoritaria, la previno:

—Cuidado y me contradigas, ¿oyes? Yo responderé lo que haya de responderse, y tú deja que te hagan lo que quieran...

—¡Qué me hagan lo que quieran...! ¿Quién...?

—¡Borrica! Si no es nada malo, son los médicos, que quizá se empeñen en reconocerte, ¿entiendes?

—Pero es que yo estoy buena y sana, se lo juro a usted.

—Aunque lo estés, tonta; esto lo manda la autoridad y hay que someterse; yo procuraré que no te examinen. ¡Abajo!, anda...

A partir de aquí, hasta la hora de la comida de la noche, Santa embrollaba los sucesos; su pobre memoria, como si se la hubiesen magullado, conservaba precisos y netos detalles determinados, pero en cambio adulteraba otros. Acostada en la cama que le asignaron, no recordaba lo que los médicos le habían hecho durante el reconocimiento, que efectuaron después de excepcional insistencia; recordaba mejor un retrato litográfico, dentro de barnizado marco de madera, de un señor muy extraño, con traje militar y pañuelo atado en la cabeza; recordaba los anteojos de uno de los doctores, que sin cesar le resbalaban de las narices; recordaba la vulgar fisonomía de un enfermero que la miraba, como con ganas de comérsela... Del reconocimiento sólo recordaba que la hicieron acostarse en una especie de mesa forrada de hule, algo mugrienta; que la hurgaron con un aparato de metal y... nada más, sí, nada más...

Lo que sí recordaba muy bien era que, al incorporarse y arreglarse el vestido, los doctores la tutearon y le dirigieron bromas pesadas, que provocaban grandes risas en Pepa y enojos en ella, que desconocía el derecho de esos caballeros para burlarse de una mujer...

Como al mismo tiempo se le viniese a la mente el otro calificativo, el que a partir de entonces le correspondía, cerró más sus ojos, llegó a taparse fuertemente con la mano el oído opuesto al que la almohada resguardaba, recogió las piernas flexionando las rodillas y, sin embargo, el vocablo vino y le azotó las sienes y el cráneo entero por adentro, le aumentó la jaqueca.

—No era mujer, no; ¡era una...!

Por segunda vez en su trágica jornada, le ganó la tentación de marcharse, de huir, de retornar a su pueblo y a su rincón, con su familia, sus pájaros, sus flores... donde siempre había vivido, de donde nunca creyó salir, arrojada por sus hermanos, menos... ¿Qué harían sin ella? ¿La habrían olvidado tan pronto?... La acongojó a un punto suponerse olvidada, que con brusco movimiento sentóse en el borde de la cama, caídas las manos sobre el vestido en el hueco que medio indicaban sus piernas entreabiertas; los pies sin tocar la alfombra, en maquinal e inconsciente balanceo, y la mirada fija, clavada allá en el pueblo, en el humilde y riente hogar decorado de campánulas, heliotropos y yedra, manchado por ella, al que no regresaría nunca más, nunca, nunca.

Tan miserable y abandonada se sintió, que escondió el rostro en la almohada, tibia de haber sustentado su cabeza, y se echó a llorar mucho, muchísimo, con hondos sollozos que le sacudían el encorvado y hermoso cuerpo; un raudal de lágrimas que acudían de una porción de fuentes; de su infancia campesina, de unas miajas de histerismo y del secreto duelo en que vivía por su desdichada pureza muerta.

La distensión nerviosa que el llanto trae consigo y el gasto de fuerzas realizado durante el día, la amodorraron, brindáronle un remedo de sueño muy parecido al de los niños cuando sufren; con sollozos postrimeros y suspiros intermitentes y rezagados, que de improviso brotan y en un segundo se desvanecen y evaporan, como si al fin se reunieran con el dolor. De ahí que no se enterara de los ruidos inciertos que tales casas ofrecen por las tardes, ni de las visitas, más dudosas todavía, que las frecuentan: corredoras de alhajas de turbia procedencia; toreros que no son admitidos en las noches para que no se alarme la parroquia de paga, que en cada individuo de coleta teme encontrar a un asesino; jóvenes decentes que dan sus primeros pasos en la senda alegre y pecaminosa; maridos modelos y papás de crecidas proles, que no pueden prescindir del agrio sabor de una fruta que aprendieron a morder y a gustar cuando pequeños; enamorados de "esas mujeres", que anhelan hallarlas a solas y forjarse la ilusión de que únicamente ellos las poseen, aunque los hechos por hacer y las ojeras y palideces de sus dueñas, delaten los combates de la víspera, la venta de caricias y los desenfrenos de la lascivia.

De la calle subía un rumor confuso, lejano, gracias al jardín que separa la casa del arroyo y a que el cuarto de Santa era interior y alto, con su par de zurcidas cortinas de punto, colgadas de las ventanas y enfrentando un irregular panorama de techos y azoteas; una inmensidad fantástica de chimeneas, tinacos tiestos de flores y ropas tendidas, de escaleras y puertas inesperadas, de torres de templos, astas de banderas y rótulos de monstruosos caracteres; de balcones remotos cuyos vidrios, a esa distancia, diríase que se hacían añicos, golpeados por los oblicuos rayos del sol descendiendo ya por entre los pinachos y crestas de las montañas, que, en último término, limitaban el horizonte.

Alguien que llamaba con imperio interrumpió la modorra de Santa.

—¿Quién es? —preguntó molesta, sin abandonar la cama y apoyando el busto en un codo.

Pero al reconocer las voces de Pepa y de la patrona, levantóse a abrir.

La patrona, Elvira, a quien no veía desde la feria de San Ángel, cuando melosamente la decidió a venir a habitar su casa, estaba con una bata suelta, siempre hombruna en la entonación y en los modales, con un grueso puro entre los labios, y en las orejas sendos diamantes del tamaño de avellanas. Mucho más autoritaria aún que Pepa, se encaró con Santa:

—¿Conque no quisiste almorzar y te has pasado la tarde encerrada aquí?... Te disculpo por esta sola vez y con tal de que no se repita, ¿me comprendes? No estamos para hacer lo que nos dé la gana, ni tú te mandas ya; ¿para qué viniste?... Van a traerte una bata de seda y medias de seda también, y una camisa finísima, y unas zapatillas bordadas... ¿Se ha bañado ya? —inquirió volviéndose a Pepa—. ¡Magnífico! No importa, al vestirte esta noche para bajar a la sala, volverás a lavarte; mucha agua, hija, mucha agua...

Y siguió entre regañona y consejera, enumerándole a Santa la indispensable higiene a que se tiene que apelar con objeto de correr los menos riesgos en la profesión. Un catecismo completo; un manual perfeccionado y truhanesco de la prostituta moderna y de casa elegante. Sus recomendaciones, mandatos y consejos, casi no resultaban inmorales de puro desnudos; antes los envolvía en una llaneza y una naturalidad tales que, al escucharla, tomaríasela más bien por austera institutriz inglesa que aleccionara a una educanda torpe. Sólo, de cuando en cuando, un terno disonante y enérgico —dicho asimismo con exceso de inconsciencia—, venía y destruía el hechizo. ¡Qué institutriz ni que diantre! ¡Prostituta envejecida y hedionda de cuerpo y alma que podía únicamente nutrir esas teorías y sustentarlas e inducir a su práctica! En el curso de la peroración, sentóse junto a Santa, y al notarla aterrada, con habilidad de escamoteador apresuróse a mostrarle el reverso de la medalla; ¡qué corcho!, no era tan fiero el león, sino al contrario, y el modo de vivir de ella, en definitiva, era más aceptable y cómodo que otros muchos.

—En el hospital paran las lipendis nada más; quiero decir, las atolondradas y tontas —rectificó, por la cara que puso Santa al oír aquel término flamenco—, pero la que no se mame el dedo y a tiempo conozca lo que lleva y vale, me río yo de hospitales y cárceles. Con unas hechuras como las que gastas tú, se puede ir a cualquier parte, ¿sabes?, y tener coche y joyas y *guita*, digo, monises, que llamados así, bien que me entenderás, ¿no es cierto? ¿Los hombres?... ¡Los hombres!... Los hombres son un atajo de marranos y de infelices, que por más que rabien y griten, no pueden pasársela sin sus indecencias...

Luego, al cabo de una pausa, continuó reflexiva:

—Mientras peores somos, más nos quieren, y mientras más los engañamos más nos siguen y se aferran a que hemos de quererlos como apetecen... ¿Sabes por qué nos prefieren a sus novias y esposas, por qué nos sacrifican? ¿No lo sabes?... Pues precisamente porque ellas son honradas —las que lo son— y nosotras no; por eso. Nosotras sabemos muy distinto, picamos, en ocasiones hasta envenenamos, y ellas no, ellas saben igual todos los días, y se someten, y los cansan...

Calló Elvira; Pepa recargó la espalda en el guardarropa, y Santa, con el corazón saltándole dentro del pecho, dobló la cabeza.

Lo que veía y lo que oía la desesperanzaba por completo, la asqueaba de antemano. Decididamente se marchaba.

—¡Pues yo siempre me voy! —declaró muy grave y poniéndose en pie.

—Que te vas, ¿y a dónde?...

—Allá, afuera —contestó con mayores energías, señalando el pedazo de cielo azul que por las ventanas se divisaba.

Aproximóse Pepa; Elvira, a su vez, se levantó y juntas miraron, como hipnotizadas, hacia donde Santa apuntaba, con resolución y firmeza, el pedazo de cielo que el crepúsculo empalidecía, por el que cruzaba una bandada de golondrinas esbozando en su vuelo, sobre aquel fondo azul, polígonos imposibles y quiméricos.

En el acto reaccionó Elvira, recuperó sus hábitos de cómitre con faldas que no tolera ni asomos de rebelión. En jarras los brazos, iracunda la mirada y contraído el rostro, hecha una furia, volviéndose a Santa. Con ella no se jugaba ni la burlaba nadie tampoco.

—Guarda tu *diznidá* para otra, ¿estamos? Lo que es tú, te encuentras ya registrada y numerada, ni más ni menos que los coches de alquiler, pongo por caso... me perteneces a mí, tanto como a la policía o a la sanidad. ¡Figúrate si ahora vas a marcharte!... ¡Como no te marches a la cárcel!... Y esta noche, risueñita y amable con los que paguen; y nada de lloriqueos ni ridiculeces y desmayos, porque te harán volver a tu acuerdo el comisario y los gendarmes.

A medida que Elvira se exasperaba, Santa se deprimía, lo mismo que si sus energías de antes se le quebraran o torciesen. Fascinada por la iracundia de la patrona, fue retrocediendo hasta pegarse al muro, unos cuantos pasos en que Elvira la persiguió metiéndole las manos por la cara, echándole, entre sus insolencias, su aliento apestoso a tabaco y a comida reciente.

Pepa fumaba.

Los ojos desmesuradamente abiertos y la garganta seca, Santa cedió ante aquel alud de malas palabras que, a manera de látigos, se le enroscaban en el cuerpo; cedió ante aquella hidra que la acosaba, pronta a clavarle sus garras. Sintióse doblegada, vencida, a la incondicional merced de esa española cubierta de alhajas y sin ápice de educación, que eructaba "tales" y "cuales", que la amenazaba con el puño, con la mirada, con la actitud.

—Está bien, señora —murmuró capitulando—, cálmese usted, que no he de irme. ¿A dónde quiere usted que me vaya?...

Pepa estimó oportuno intervenir y se llegó a entrambas, acariciando a Santa en los brazos.

—No es el pelo de la dehesa lo que luces hija mía, es una cabellera, y hay que trasquilarte. Ea, penillas a la mar y seca esos ojazos.

Sin duda Elvira aguardaba la intervención, porque se humanizó en un instante, encendió el medio puro que le quedaba entre los dedos y asiendo a Santa por el talle, muy afectuosa, se la llevó al canapé y con delicadezas que no podían sospechársele, le enjugó su llanto.

—Tiene razón ésta (por Pepa) —declaró Elvira—, hay que desbravarte. ¡Mire usted que es llorar! Y luego ¿por qué? Si yo no te quiero mal, guasa, al contrario; y te cumpliré cuanto te ofrecí en tu pueblo, ¿te acuerdas?... ¿No te basta? Y ahora mismo, cuando bajes a comer lo que no sea de tu agrado, se lo dices a Pepa y se te guisará aparte lo que más te guste... Cuidado, Pepa, que nadie le tome el pelo en la mesa, que se le dé vino del mío, a ver si le calmamos los nervios. ¡Tunanta! ¡Regalona! Alza la cara y bésame en señal de que hicimos las amistades... Quiero contemplarte en traje de campaña; ¡Pepa!, que suban la bata, el camisón y las zapatillas.

No hubo remedio; Santa sonrió y sujetóse a que casi la vistieran entre Pepa y dos o tres "pupilas", que subieron también atraídas por la algaraza.

Una maniobra decente, vigilada y aplaudida por Elvira, que no apartaba la vista de su adquisición y que con mudos cabeceos afirmativos parecía aprobar las rápidas y fragmentarias desnudeces de Santa; un hombro, una ondulación del seno, un pedazo de muslo; todo mórbido color de rosa, apenas sombreado por finísima pelusa oscura. Cuando la bata se le deslizó y para recobrarla movióse violentamente, una de sus axilas puso al descubierto, por un segundo, una mancha de vello negro, negro...

La comida reglamentaria de las ocho de la noche, por lo común silenciosa y tristona —quizá porque se acerca el momento de la diaria refriega—, tornósele fiesta. No se cruzaron reproches, ni las secretas y mortales envidias mostraron su faz, ni los celos irreconciliables asomaron a los ojos ya pintados; no salieron las frases obscenas, los mutuos apodos y las burlas al criado. A la bonachona mirada de Elvira, que se dignó acompañar a su ganado en obsequio de la nueva res, desarrollaron una alegría moderada y una exagerada compostura; se oyeron risas femeninas de veras, sin afectación ni ordinariez; bromas muy pasaderas y sosegado sonar de cubiertos. El comedor simulaba un refectorio recatadísimo de algún plantel educativo de buen tono. Elvira, enternecida, les convidó a todas de su vino, que sólo para Santa había salido a relucir.

Pepa, muy digna dentro de su papel de "encargada", bebió agua, como de ordinario; y la *Zancuda* —una pobre muchacha de aspecto tuberculoso— se olvidó de sopear el dulce con la mano, según acostumbraba a ejecutarlo noche a noche.

De improviso, destemplada y estridente, la voz de Eufrasia, desde abajo, las trajo a la realidad.

—¡Doña Pepa! Aquí hay unos señores...

¡La horrible transición que presenció Santa! Cual impulsada por un propio resorte, aquel grupo de ocho o diez mujeres se levantó de sus asientos derribando sillas; vertiendo en el mantel el agua de los vasos, después de enjuagarse la boca en pie y de prisa y arrojar el buche contra el suelo; encendiendo cigarrillos que fumaban muy apuradas, a fin de no oler a comida. Todas se despeñaron por la empinada escalera, en tropel de gritos y empellones —una verdadera y desaforada carga contra el dinero—; todas se alisaban el cabello, se mordían los labios hasta ponerlos de un rojo subido, pegaban los codos a la cintura para que los senos resaltaran; todas, en su andar, marcaban el paso con las caderas, a semejanza de los toreros cuando desfilan formados en la plaza, y todas arrastraron adrede, por las gradas, los tacones de las zapatillas.

Pepa bajó despacio.

—¡Tú también, baja!... —le mandó Elvira a Santa—y según sean los clientes, así pídeles cerveza o *sampán* (quería decir champagne), pero que gasten. Si entran contigo en el cuarto, nada de niñerías, ¿eh?, ya hablamos de eso.

Santa no escuchó el final del bando; la primera parte, el tremendo: "Tú también, baja", la hizo temblar cual si la amenazase un positivo peligro... aunque, indudablemente, tenía que bajar, que disputarse a los visitantes, que obligarlos a gastar.

Bajó rígida, más dispuesta a rechazar que a ofrecer, experimentando repugnancias físicas invencibles. De pie en el umbral del salón iluminado notó que los parroquianos, sin descubrirse, bromeaban de palabra y de obra con sus compañeras; vio que éstas no sólo consentían las frases groseras y los manoseos torpes y lascivos, sino que los provocaban, pedían su repetición para concluir de enardecer al macho, azuzadas por un afán innoble de lucro.

Un gran trueno celeste, anunciador del aguacero que se echaba encima de la ciudad, la estremeció; y volviendo la cara a la puerta de la calle, que le quedaba a un paso, se asió la falda y se adelantó a la salida, guiada por un deseo meramente animal e irreflexivo de correr y correr hasta donde el aliento le alcanzara, y hasta donde, en cambio, el daño que se le antojaba inminente no pudiera alcanzarla... Mas, a tiempo que se adelantaba, la lluvia desatóse iracunda, rabiosa, azotando paredes, vidrios y suelos con unas gotazas que al caer o chocar contra algo, sonaban metálicamente, salpicaban, como si con la fuerza del golpe se hicieran pedazos. Santa miró a la calle, por cuyo centro el agua imitaba una cortina de gasa interminable que se desarrollara de muy alto, inclinándose a un lado, y a la luz eléctrica de los focos que el viento mecía, entretejiera, mágicamente, hilos de plata que se desvanecían dentro de los charcos bullidores y sombríos del adoquinado.

De ese fondo fantástico, al resplandor de uno de los tantos relámpagos que surcaban el cielo, Santa distinguió, sin paraguas ni abrigo que los defendiese del chubasco, a un chiquillo que llevaba de la mano a un hombre, y que ambos doblaban rumbo a la casa. En un principio, dudó; ¿cómo habían de ir allí?... pero la pareja continuó acercándose, el hombre colérico cada vez que ni su bastón ni el chiquillo lo libraban de los baches; el granuja, mudo, aguantando con idéntica impasibilidad la lluvia de las nubes que le empapaba las espaldas, que la lluvia de denuestos e insolencias del ciego a quien servía.

Tuvo Santa que apartarse para que entraran los dos, al parecer, vagabundos, y más que de contestar a su saludo cuidó de que no la humedeciesen si se le acercaban demasiado. En lugar del regaño que no dudó les endilgaría Pepa, soltóse el ciego de su lazarillo y sin más ayuda que el bastón, astroso y chorreando, muy de sombrero en su mano libre, sonriente, y mirando sin ver con sus horribles ojos blanquizcos, de estatua de bronce sin pátina, se coló en la sala, y Pepa y las demás mujeres lo recibieron contentísimas, tuteándolo.

—Hola, Hipo, ¿te mojaste? ¡Estás hecho una sopa!... Sacúdete afuera, hombre, que vas a ensuciar los muebles, y vuelve a tocar.

¡A tocar!... Siempre con asombro, Santa vio que el ciego a quien denominaban Hipo se encaminaba a tientas al patiecito, donde, en efecto, se sacudió el traje enjugándose después las manos con su pañuelo. Luego lo vio ir derechamente al piano, vio que lo abría y, por último, vio y oyó que lo tocaba. Entonces, por mirarlo de cerca y convencerse del prodigio de que un ciego tocara y tocara tan bien, entró en la sala y apoyando un codo sobre la tapa superior del piano, pusóse a contemplar al músico.

¡Qué lindamente tocaba y qué horroroso era!... Picado de viruela, la barba sin afeitar, lacio el bigote gris y poblado, la frente ancha, grueso el cuello y la quijada fuerte. Su camisa, puerca y sin zurcir en las orillas del cuello y de los puños; la corbata torcida y ocultándose tras el chaleco; las manos huesosas, de uñas largas y amarillentas por el cigarro, pero expresivas y ágiles, ora saltando de las teclas blancas a las teclas negras con tal rapidez que a Santa le parecía que se multiplicaban, ora posándose en una sola nota, tan amorosamente, que la nota aislada adquiría vigor y sonaba por su cuenta, quizá más que las otras.

Con su instinto de ciego, el músico adivinó que alguien se hallaba a su lado, y a pesar del ruido que armaban los bailadores, medio volvió la cabeza hasta Santa, que no pudo resistir el que le echara encima sus horribles ojos blanquizcos, sus ojos huérfanos de vista.

—Poco vamos a hacer esta noche, si sigue lloviendo —dijo él, sin reparar en que con el plural empleado, equiparaba la profesión de esas mujeres a la suya propia—. ¿Quiénes son los que bailan?...

—No los conozco —repuso Santa, procurando esquivar los ojos del músico, los que, no obstante no ver, diríase que miraban, a juzgar por la importancia que les comunicaba el ciego, moviendo las cejas inteligentemente.

—Usted dispense —agregó—, creí hablar con alguna de las de la casa.

—También yo soy de la casa —explicó Santa—, desde hoy que... ¡ay! —gritó interrumpiéndose, al sentirse abrazada por la cintura.

No era nada, no; que uno de aquellos caballeros, incitado por la deliciosa línea de la cadera de Santa, había llegado por detrás de la muchacha desapercibida, a cerciorarse de esa morbidez, y le había abrazado el talle con las dos manos, hincándole la barba en uno de sus hombros carnosos...

—¿Y por qué gritas, primorosa? Ni que te hubiera yo lastimado. Ven a tomar con nosotros y a bailar esta danza conmigo.

—¡No quiero beber y no sé bailar! —contestó secamente Santa, después de desasirse del individuo bien vestido, entrado en años y respetado por los que con él estaban.

—¡Adiós! ¿Y si yo te pago porque me emborraches y porque me bailes, hasta desnuda si me da la gana?... ¿Crees que pido limosna o que a mí me manda una cualquiera?... Pues te equivocas. ¡Traigo mucha plata, para comprarlas a todas ustedes...!

El cariz de la reunión varió. El pianista interrumpió su danza intercalándole, por artístico pudor, un par de acordes finales que suavizaron a su oído lo brusco de la interrupción, y filosóficamente, con el puro tacto, encendió un cigarrillo. Santa, sin otras armas todavía con qué defenderse, apeló a las lágrimas; mas sus compañeras, sobre todo una, la *Gaditana*, dejó de bailar y saltó a la palestra:

—¡Oye, tú!... ¿qué te crees? ¿Que por los cuatro cuartos que traes hemos de soportarte, "so esto" y "so lo otro"...?

Pepa intervino, entre los labios el puro y en la muñeca colgando el portamonedas. Habló con los acompañantes del que había insultado a Santa —el que persistía en sus afirmaciones de que llevaba mucho dinero, y mostraba billetes y pesos duros—, y los acompañantes, mortificados, opusiéronse a reconocer la grosería de su amigo, a quien era fuerza disculpar por hallarse algo bebido y por ser persona de su posición, ¡friolera!, gobernador de un lejano y rico Estado de la República.

—¡Más *champagne*! —ordenó el bebido, como para rectificar su embriaguez—, ¡más *champagne* y más danzas, profesor!

Volvió a sonar el piano y las chicas a bailar con los familiares del gobernador aquel, tumbado en el sofá y sin despegar la vista de Santa, con la que Pepa sostenía coloquio animadísimo. El más prudente del grupo, previo ajuste con Pepa y en atención a que el agua no escampaba, hizo entrega de diversos billetes, mandó cerrar las puertas y publicó que la casa entera corría por cuenta de ellos.

En éstas, presentóse Elvira a saludar al gobernador; saludo de viejos conocidos, sin fórmulas ni tratamientos:

—¿Cuándo has llegado, hijo? Hace un siglo que no venías por acá... ¿Ya viste a mi "nueva"? —añadió bajando el diapasón.

—Se ha enfadado porque le hice una caricia, y ella y otra me han tratado peor que a un perro... Tú me conoces, Elvira, tú sabes que yo gasto el dinero sin regatear... pero, lo que es ahora, me voy, ya lo creo que me voy... No, no, déjame ir, no me sujetes... —gruñó tambaleando sin acabar de ponerse en pie, a causa de que Elvira se lo impedía, aunque mucho menos que la borrachera.

—¿Ésa es la que te gusta, *perdío*? Es mi "nueva". Te juro que aún no se estrena en la casa y que vale un millón... ¿la quieres?

—Por supuesto que la quiero, o ésa o ninguna.

—¡Santa! —gritó Elvira, sin cesar en la conquista del cliente adinerado y con la certeza de que la joven no había de rebelársele—. ¡Santa!, ven a beber con el general y a tratármelo con cariño, que es un barbián.

Al par que el general y sus acompañantes reían del nombre de Santa, suponiéndolo fingido, Santa, impotente para sustraerse al influjo incontrastable que Elvira ejercía en su voluntad, desprendióse del piano y se aproximó al personaje.

—No, ahí no —prorrumpió Elvira—, siéntate en las piernas, nena, que te has sacado la lotería con gustarle... ¡Pepa!, pide más *sampán*, que el general me convida a mí.

Muy temblorosa, Santa realizó lo ordenado; el pianista metióle mano a un vals; se escucharon risas, tuteos, el estallido de un beso y los taponazos de las botellas que el criado descorchaba.

Indudablemente el general estaba beodo y propenso a enternecerse. Lleno de miramientos hacia Santa, solicitó primero su permiso y después le habló al oído. ¿Lo perdonaba?...

—Sólo quise asustarte, mi palabra; pero si te soy antipático te pago igual y quedas libre... Traigo mucha plata en la cartera y en el chaleco... para ti toda si duermes conmigo esta noche... ¿qué dices?

—¡Que sí! —le murmuró Santa, intimidada por Elvira, que antes de retirarse detúvose a mirarla.

—Entonces, más de beber, ¡qué cañones! —rugió el gobernador—, y aquí tú nos mandas, tú eres la reina.

Y hasta el pianista fue beneficiado con diez pesos que le cayeron como diez soles, por los que habría tocado una semana íntegra.

Y se oían en la escalera chillidos de mujer cosquillosa, tartamudeos de ebrio, traspiés y besos. El general apuraba copa tras copa, con Santa a su lado, y descansando de tiempo en tiempo, taciturno y grave, en la espalda de Santa, su cabeza encanecida.

—¿Qué quieres que te regale cuando mueras? —le preguntó de súbito.

—No le contestes, boba —insinuó Pepa—, está chispo y no sabe lo que habla.

—¿Qué más da? —dijo Santa melancólicamente, y volviéndose al general, añadió—: Mándeme usted decir misas...

Con esfuerzo visible el general apuntó el encargo en su cartera, como asunto serio, y ordenó de beber.

—Yo sí que me muero ahora, pero de sed... ¡a ver, más copas!

Las copas que le sirvieron representaron el tiro de gracia para el gobernador; derramó la mitad del contenido de la suya y se quedó dormido.

Santa respiró, y aunque ligeramente trastornada, consideróse libre: ¿podría acostarse sola?...

Pepa, benévola, la sacó del error, y en confianza, metió al pianista en la charla:

—No, hija, el viejo dormirá contigo, ¿no le parece a usted, Hipo? Por fortuna, no ha de molestarte, ya no puede con su alma.

Despertáronle entre las dos, y ayudado del mozo, subió al cuarto de Santa que, conforme a la regla, cargaba el sombrero, el abrigo y el paraguas de su amante de una noche. En tanto, el pianista, cuyo lazarillo dormía acurrucado en el quicio de la puerta, se despedía de Pepa.

Como una maza cayó el gobernador en el mullido lecho, en el que trabajosamente sacóse los zapatos, la *jaquette*, el chaleco y parte de la camisa, desabotonada de antemano.

—¿Tú creerás que estoy borracho, eh?... No, estoy atarantado y en un instante se me pasa... la prueba es que oigo llover y que te ruego que te desnudes, pero toda, enterita, quedándote con las medias nada más... ¡ah!, y dime, en serio, ¿te llamas Santa?... ¡A que no!... ¿Por qué vives en esta casa?... cuéntamelo, cuéntame tu historia, mujer...

No tuvo necesidad Santa de oponerse a tanta exigencia, pues no bien las había formulado el general, cuando de nuevo se durmió y esta vez con macizo sueño alcohólico. De puntillas, para no despertarlo, Santa apagó su lámpara y principió a desvestirse en la sombra, regocijada con la idea de que esa primera noche nadie se adueñaría de ella. De pronto y a pesar de las tinieblas de la estancia, llevóse la mano al cuello y se subió el camisón, cual si temiese que la sorprendieran. Aguardó un momento, y la respiración acompasada del gobernador la tranquilizó; soltóse el camisón y, devotamente, se sacó un viejo escapulario que ya no podría llevar más, que tenía que ocultar, ¡pobre trapo desteñido y roto como su pureza, testigo íntimo de sus épocas de dicha, guardián de reliquias que no habían sabido protegerla, compañero de sus suspiros de doncella y de sus palpitaciones de enamorada!... Castamente, lo besó muchas veces, como besamos lo que no hemos de volver a ver, y lo ocultó en algún misterioso sitio de su alcoba de pecadora.

Por la calle, a lo lejos, sonaban bandurrias y guitarras; trasnochadores alegres, sin duda, que, desafiando el mal tiempo, tocaban música triste cual la historia de ella. ¡Su historia!, ¡la que le había pedido el borracho aquel!...

Ya no llovía, pero continuaba, afuera, el sordo gotear de las cornisas y barandales. En el sumidero del patiecillo —una losa con cinco agujeros en forma de cruz— hundíase el agua rumorosamente, a escape, como apresurada por esconderse, allá debajo, en lo oscuro, y no presenciar lo que en la casa acontecía.

Capítulo II

¡Su historia!...

La historia vulgar de las muchachas pobres que nacen en el campo y en el campo se crían al aire libre, entre brisas y flores; ignorantes, castas y fuertes; al cuidado de la tierra, nuestra eterna madre cariñosa; con amistades aladas, de pájaros libres de verdad, y con ilusiones tan puras, dentro de sus duros pechos de zagalas, como las violetas que, escondidas, crecen a orillas del río que meció su cuna, blandamente, amorosamente y después se ha deslizado, a espaldas de la rústica casuca paterna, embravecido todos los otoños, revuelto, espumante; pensativo y azul todas las primaveras, preocupado de llevar en su seno los secretos de las fábricas que nutre, de los molinos que mueve, de los prados que fecundiza, y no poder revelarlos sino tener que seguir con ellos a donde él va y muere, lejos allá... ¡Dicen que al mar!

Santa quiso espantar sus recuerdos ahuyentándolos con las manos extendidas, como en sus buenos tiempos de chica honrada espantaba las trabajadoras inquilinas de la colmena o las voluptuosas y coquetas del palomar. Pero sus recuerdos no partían, al contrario, y evocados por el borracho ése que impúdicamente roncaba, amotináronse alrededor de Santa, le entraban y salían a modo de maravillosos obreros que anhelasen terminar la reconstrucción del templo de su infancia y del alcázar de su adolescencia —que yacían en desolada ruina—, no logrando otra cosa que anudársele en la garganta, humedecerle los ojos y lastimarle el corazón, más virginal aún que su cuerpo soberbio de prostituta joven.

Y así fue como, de improviso, el abyecto cuarto en tinieblas se inundó de la luz de sus recuerdos.

Escondida entre lo que en el pueblo se entiende por "callejones" —unas estrechas callejas sin empedrar, con espeso follaje de malvones, alelíes y enredaderas a entrambos lados; con altas tapias lisas de ladrillo y argamasa o de caducos adobes que se desmoronan—, una casita blanca, de reja de madera sin labrar, que cede al menor impulso y hace de puerta de entrada; su patio, con el firmamento por techo, y por adorno, hasta seis naranjos desgajándose al peso de sus frutos de oro o cubiertos de azahares que van y lo perfuman todo, desmayadamente; un pozo profundísimo, con misteriosas sonoridades de subterráneo de hadas, con un agua de cristal para la vista y de hielo para el gusto; un brocal antiguo, de piedra, con huecos aquí y allá en los que han ido a instalarse muchas margaritas que se obstinan en crecer y multiplicarse, y una polea que gime y se queja cada vez que su cántaro se asoma a las profundidades aquellas. De frente a la cocina, un colmenar repartido en cuatro cajones, y arriba, más acá de la chimenea enana, ancha y humeante, el domicilio oficial de las palomas, quienes, sin embargo, prefieren las ramas, los boscajes vecinos y la derruida torre de la capilla de San Antonio, que les queda cerca. Al fondo un marrano que engorda tumbado en el lodo y atado de una pata; gallinas con polluelos, escarbando el piso y de tiempo en tiempo mirando al cielo con un solo ojo, la cabecita muy inclinada; y a la espesa sombra de los naranjos, el "Coyote", un mastín berrendo en amarillo y café, que duerme tranquilo. En el corredor, a mano izquierda de la entrada, diversos asientos campestres; un clarín, un cenzontle y un jilguero que en sus jaulas se desgañitan en armonías y arpegios desde que

Dios amanece; empotradas en el muro, unas astas de toro sirviendo de perchas a las cabezadas, freno y montura del único caballo que posee la finca y que sale a pastar con las vacas y los terneros de don Samuel, el de la tienda, y amarrados a la primera y a la última de las columnas, respectivamente los dos gallos de pelea, el uno giro y azabache el otro, retándose con cantos y aleteos, afilando los picos contra el suelo y en él derramando, de torpe espolazo, su ración de agua, contenida en mohosa lata de sardinas.

Adentro, las habitaciones, muy pocas, sólo cuatro. Primero la sala, que es a la vez comedor, a juzgar por la cuadrada mesa del centro y por el tinajero que cuelga de uno de los encalados testeros de la estancia, colmados de platos, fuentes, pozuelos y vasos de vidrio y loza ordinarios. Arrimadas a las paredes, sillas de tule; en un ángulo, una rinconera de caoba, algo comida de polilla, que, juntamente con un caracol, una alcancía de barro en forma de manzana y un par de floreros con ramos de trapo, ostenta el tesoro de la familia, un Santo Niño en escultura no de lo peor, sentado en asiento que no alcanza a divisarse, en actitud de bendecir con su diestra levantada, vestido de raso con lentejuelas y flecos, y prisionero dentro de amplio nicho de cristales unidos con plomo. En el piso, esteras de diversos tamaños y al lado de la ventana, pendiente de grueso clavo, divísase la guitarra encordada y limpia.

Luego, el dormitorio de la madre y de la hija, que duermen en la misma cama, sin resortes ni cabeceras, pero aseadísima y espaciosa, defendida, en lo alto, por una litografía de la Virgen de la Soledad fijada en el muro con cuatro tachuelas, y por un cromo de la Virgen de Guadalupe, con marco que fue dorado; también figura una palma amarillenta que se renueva cada domingo de Ramos y que por cristiana virtud sirve para impedir la caída de los rayos sobre la humilde heredad. Durante el día, la cama es propiedad de un gato que se pasa las horas en ella, hecho un ovillo.

Después, el cuarto de los dos hermanos hombres —los que proporcionan el dinero, Esteban y Fabián—, con dos catres de tijera, un arcón para guardar semillas, dos baúles grandes y forrados con piel de res mal curtida, una percha ocupada siempre, y en las paredes, con cierto esmero pegadas, una infinidad de pequeñas estampas de celebridades; bailarinas, cirqueras, bellezas de profesión, toda la galería de retratos con que obsequia a sus compradores la fábrica de cigarrillos de La Mascota. En un rincón, la escopeta, de cuyo doble cañón penden el polvorín y una bolsa con los perdigones gruesos que tanto pueden utilizarse para cazar en el monte cuanto para defender la casita y hacer la ronda del pueblo en las noches señaladas al grupo a que los muchachos pertenecen.

A lo último, la cocina, de brasero en el interior y anafre cerca de la puerta, entre los dos metates en que la hija o la madre, indistintamente, muelen el maíz.

Por todas partes aire puro, fragancias de las rosas que asoman por encima de las tapias, rumor de árboles y del agua que se despeña en las dos presas. En el día, zumbar de insectos, al sol; en la noche, luciérnagas que el amor enciende y que se persiguen y apagan cuando se encuentran. Detrás de la casita, una magueyera inmensa, de un verde monótono y sin matices; a los dos lados, huertas y jardines; al frente, la propiedad del padre Guerra, el párroco de ellos; a unos cuantos pasos, la capilla, pequeñita, pobrísima, pero con santos que escuchan a los labradores y les alivian sus cuitas y les otorgan mercedes. Más allá, el cementerio, abierto y silencioso, sin mármoles ni inscripciones, pero brindando un cómodo asilo para el eterno sueño con sus heliotropos y claveles que, al echarse encima de los sepulcros, tapan codiciosamente los nombres de los desaparecidos y las fechas de su desaparecimiento. En las fronteras de la plazoleta, sombreada por añosos fresnos, la ribera del río; el puente, de un solo tronco de árbol labrado a hacha; los lavaderos, tres lozas en bruto; y a los pies de las dos pozas de la presa grande, el camino de pedruscos enormes, inconmovibles, bañados por las espumas de las ondas, que conduce al Pedregal.

En ese cuadro, Santa, de niña, y de joven más tarde; dueña de la blanca casita; hija mimada de la anciana Agustina, a cuyo calor duerme noche a noche, ídolo de sus hermanos Esteban y Fabián que la celan y vigilan; gala del pueblo; ambición de mozos y envidia de mozas; sana, feliz, pura... ¡Cuánta inocencia en su espíritu, cuánta belleza en su cuerpo núbil y cuántas ansias secretas conforme se las descubre!... ¿Por qué se le endurecerán las carnes, sin perder su suavidad sedeña?... ¿Por qué sus senos, mucho más marcados que cuando niña, ¡oh!, pero mucho más y no hace tanto tiempo que lo era, lucen ahora dos botones de rosa y tiemblan y le duelen al curioso palpar de sus propios dedos?... ¿Por qué el padre, en el confesionario, no la deja contarle estas minucias y le aconseja no mirarlas?

—¿Acaso te fijas en cómo crecen las flores? ¿Acaso las palpas para cerciorarte de que hoy están más lozanas que ayer y mañana más que hoy?... Pues haz como ellas, crece y hermoséate sin advertirlo, perfuma sin saberlo, y a fin de no perder tu hermosura y tu pureza de virgen, reza y ven a confiarme lo que te ocurra; adora a tu madre, cuida de tus hermanos y vive, respira fuerte, ríe a solas, ahorra lágrimas y enamórate del ángel de tu guarda, único varón que no te dará un desengaño.

En los albores de su juventud, Santa vivió en una deliciosa prolongación de la infancia, sin cuidados ni penas. Una existencia sin nubes, un desarrollo suave, un embellecimiento progresivo, adorando a su madre, cuidando de sus hermanos, respirando fuerte y riendo no tan a solas, no, que presumo, de envidia más de una vez, le hicieron coro su clarín, su cenzontle y su jilguero, los naranjos de su patio, las ondas del río, los ramajes de los árboles y, ¡vaya!, hasta la campana de la capilla, que si Santa reía, reía ella, sí, los domingos, al llamar a la poética misa de las seis y media... la misa que bajaban a oír con idéntica devoción que los moradores del pueblecito, las familias ricas, de temporada en San Ángel, el presidente de su Ayuntamiento, su receptor de rentas y el propietario de la farmacia del Carmen, el que encendía en las noches, por quién sabe qué artes, unas botellas muy grandes que despedían, vivísimamente, luces moradas, rojas, amarillas...

¡Qué lindo despertar el de los días de trabajo, antes que el sol, que es sol madrugador! De súbito, el mutismo impotente de la noche, que arrulla a su modo, interrúmpese con el canto de un gallo al que van contestando otros. Y otros, remotos, en rumbos que no pueden precisarse. Santa medio abre los ojos que sólo alcanzan a descubrir a su madre, que le queda junto a quien se acerca, medrosa, en demanda de más arrimo. Entre sueños siente que la acarician, que se aumenta el vaho de las sábanas:

—¡Duérmete, hija —le dicen en voz baja—, duerme que todavía está oscuro!...

El sueño completo tarda en volver a ella, pero no ve ni oye a las derechas, todo es confuso, vago, impalpable, excepto un gran bienestar físico que la embarga e inmoviliza. Percibe que encima, en el techo, las palomas arrastran la cola abanicada, y curruquean; que en el patio gruñe el cerdo y que en la pieza inmediata, Esteban y Fabián han abandonado la cama y echan agua en el barreño, tosen, raspan cerillos para calentar el desayuno y encender su cigarro... El sueño vence a Santa un poquito más, pierde la noción del tiempo que transcurre de rumor en rumor, lo último que distingue con esfuerzo es la entrada de sus hermanos, de puntillas para no despertarla a ella, que les sonríe en su semisueño por su delicadeza. Van a despedirse, a recibir la diaria bendición que ha de defenderlos y darles fuerza para continuar su ruda lucha de desheredados, de obreros en una fábrica de tejidos, la de Contreras, a bastante más de una legua de su casa. Y se inclinan, se prosternan casi, para que Agustina no se incorpore ni desabrigue, y así prosternados, descubiertos, en acatamiento de inveterada costumbre, murmuran reverentes:

—¡La mano, madre!...

La madre a tientas, los persigna, los atrae al regazo en que se formaron, contra él los estrecha confundiendo las dos cabezas que ama por igual, y los hombrones aquellos besan quedamente la vieja mano que dibuja en el aire la señal de la cruz; se marchan de puntillas otra vez; el "Coyote", en el patio, les ladra de júbilo; cierran ellos la reja exterior, y en el silencio que cobija al pueblo dormido, sus pasos, sonoros al salir, apáganse muy poco a poco, con ritmo de péndulo distante. La madre suspira, alza la voz como para que mejor la oiga Quien lo puede todo:

—¡Cuídamelos, Dios mío, cuídamelos, que son mis hijos!...

Por las hendiduras de puertas y ventanas entra una raya de luz pálida, de aurora; los ruidos aumentan; del arcaico convento del Carmen arranca el toque del alba y se esparce por los caminos, las quintas, las sementeras y los huertos, levántase Agustina, y Santa, reconquistada totalmente por el sueño, bien arrebujada por su madre, duerme una hora más y sueña que es buena la vida y que la dicha existe.

Como le sobran contento y tranquilidad y salud, se levanta cantando, muy de mañana, y limpia las jaulas de sus pájaros; en persona saca del pozo un cántaro del agua fresca, y con ella y un jabón se lava la cara, el cuello, los brazos y las manos; agua y jabón la acarician, resbálanle lentamente, acaban de alegrarla. Y su sangre joven corretea por sus venas, le tiñe las mejillas, se le acumula en los labios color granada, cual si quisiera, golosamente, darle los buenos días besándoselos mucho. Ya está enjuagada y bien dispuesta; ya dio de almorzar a gallinas y palomas, que la rodean y siguen con mansedumbre de vasallos voluntarios; ya el cerdo ha hundido la trompa, gruñendo de satisfacción, en el montículo de maíz que ella le llevó en el delantal; ya el "Coyote" la saludó con cabriolas y locos ladridos; ya el chico de don Samuel, el de la tienda, llegó en pos del penco de Esteban y Fabián, para que *pastee* con los terneros y vacas de su amo, mohínas ellas, recién ordeñadas, los recentales hambreados, inquietos, mugiendo iracundos; vacas y recentales en despaciosa procesión, asomando los testuces por encima de las bardas de flores, trepando a las magueyeras, hasta colándose de rondón en el siempre abierto y apacible cementerio, cuyas tumbas cuajadas de yerbas ofrécenles sabroso desayuno.

—¡Santa!... ¡Échame *pa'cá* el retinto, que me voy! —ha gritado el chico desde fuera, sin mirar hacia la casa ni hacia el rebaño, que continúa pausadamente su marcha holgazana, afanadísimo por desanudar con uñas y dientes los cordones de su honda.

Con afectuosas palmaditas en el anca, arrea la muchacha el retinto, en pelo y sin freno, lo recomienda al rapaz:

—¡Cuidado, Cosme!, no lo asolees ni lo galopes... ¿Quieres leche?

—Dámela y verás si quiero... ¿No tienes miel de tus abejas?, porque con pan, aunque esté duro, sabe a gloria —dice Cosme, mientras le pone al caballo una jáquima de su invención, con una cuerda corta que se desprende de la cintura.

Santa regresa a la vivienda y vuelve a la reja con un vaso de leche en una mano, y en la otra un pan untado de miel y chorreando hilos transparentes que nunca llegan a caer al suelo. Apura Cosme la leche, de un sorbo, y limpiándose la boca con la lengua, tírase, casi con igual fuerza, sobre el pan enmielado y sobre el lomo del cuaco, a quien arrima los desnudos talones. El retinto, a pesar de sus calendarios, responde con un bote y arranca a correr; el chico, en tanto, muerde el pan, y en prodigioso equilibrio, vuelve medio cuerpo:

—No te enojes Santita, no te enojes; sólo lo corro porque ya las vacas se me adelantaron, pero alcanzándolas...

Aún no son las siete y, sin embargo, el sol, de bruces en la cresta de la sierra, curiosea por las casas, dora las copas de los árboles y alarga las sombras de cuanto alcanza con sus rayos. Con las irisaciones que emanan del río, con el aroma que las flores despiden y la fragancia que respira la naturaleza toda —sin contar gorjeo de aves, rumor de ramas y murmullo de ondas—, hay algo impalpable que flota y asciende cual oración sin palabras, que la tierra, la eterna herida, pensara y elevara a cada despertar; honda acción de gracias mudas por haber escapado, una noche más, al cataclismo con que vive amenazada y que traidoramente ha de venir a mutilarla y a aniquilarle su sagrada fecundidad infinita de madre amantísima... Santa, impresionada, levanta los ojos al cielo, dilata la nariz y quédase extasiada, incorporada sin percatarse de ello a la honda acción de gracias mudas, a la plegaria sin palabra de la Tierra.

Durante el día, la ruda labor doméstica, ora en la casa, ayudando a la anciana Agustina, ora junto al río, lavando, yendo a compras a la tienda de don Samuel, en la que "había de todo". A la tarde, reúnese en la plazoleta a mozas de sus años y con ellas juega y retoza, dueñas del local, sin masculinos a esa hora que se burlen de sus juegos; pues no pueden pasar por tales los muchachos que salen de la doctrina del padre Guerra, ni el propio padre Guerra que al separarse de sus alumnos y sorprenderlas a ellas, por lo común las riñe:

—¡Ya se me están ustedes largando de aquí y metiéndoseme en sus casas, marimachos!

Y batiendo palmas deshacía el grupo, ni más ni menos
que si ahuyentara gallinas.

Otras veces, y previo permiso de Agustina, Santa íbase
sola hasta las entradas del Pedregal, sitio maravilloso y
único en la República.

Inexplorado todavía en más de lo que se supone su mitad, volcánico todo, inmenso, salpicado de grupos de arbustos, de monolitos colosales, de piedras en declive, tan
lisas que ni las cabras se detienen en ellas, posee arroyos
clarísimos, de ignorados orígenes, que serpean y se ocultan y reaparecen a distancia, o sin ruido se despeñan en
oquedades y obras que la yerba disimula criminalmente;
cavernas y grutas profundas, negras, llenas de zarzas, de
misterio, de plantas de hojas, disformes, heráldicas casi,
por su forma; simas muy hondas, en cuyas paredes laterales se adhieren y retuercen cactus fantásticos, y de cuyos
fatídicos interiores, cuando a ellos se arroja una piedra que
jamás toca el fondo verdegueante y florido, tienden el vuelo
pájaros siniestros, corpulentos, que se remontan por los
aires, muy alto, en amplias espirales lentas. Descúbrense
hondonadas —a las que puede arribarse a costa de ligeros
rasguños—, que el agricultor ha transformado en cemen-
teras y que lucen milpas de maíz, cebadales, hasta algún
trigal diminuto, de coquetas espigas corvas, balanceándo-
se con elegante dejadez. Aquí y allá, magueyes; espiando
a los barrancos y precipicios, pirules frondosos atraen con
su peligrosa sombra, la que —se dice— brinda a quien la
goza, desde la jaqueca hasta la locura. Formando islotes,
álzanse en promontorio hormigueros trabajadores, con un
ir y venir de pequeños bichos bien perceptibles; y en los
resquicios de la toba volcánica, las biznagas, redondas
defendiendo con sus espinas el sabroso fruto. Por dondequiera matorrales que desgarran la ropa; amenazas de que
una víbora nos asalte o una tarántula se nos prenda; y lo
que es más lejos, algo peor; los gatos monteses y los tigres

y la muerte... Por dondequiera, leyendas erráticas, histo-
rias de aparecidos y de almas en pena que salen a recorrer
esos dominios, en cuanto la luz se mete. Por dondequiera,
lugares encantadores, nombres populares: el *Nido de gavi-
lanes*, la *Fuente de los amores*, *La calavera*, *El venado*... también un camino, es decir, una vereda que ensanchan las
llantas de las escasas y atrevidas carretas que por tales
andurriales se aventuran con objeto de ganar San Ángel
en menos tiempo que por el camino real. Hacia Tizapán,
una hacienda perdida en la soledad, y por los alrededores
de la finca, partidas de vacas, hatos de carneros y de ove-
jas sin persona que cuide de ellos, paciendo tranquilos
dentro de esa paz primitiva; caballos sueltos; yeguas
escoltadas por sus juguetones potrillos que corcoveando
se alejan a escape, para a poco tornar y morderlas y pegarse con brusquedad a la ubre semioculta; y perros de
pastor, bravíos, que se abalanzan enfurecidos al que se
aproxima a las bestias. En puntos determinados un panorama hermosamente poético al poniente, las cúpulas de
azulejos del vetusto convento del Carmen, y al oriente, azul,
de un azul blando de bahía profunda y en calma. Y en
cuanto la vista abarca, un aspecto de mar petrificada, con
ondulaciones, y flotando sobre el colosal desierto de toba,
la leyenda clásica y popular que asegura que en la región
hanse perpetrado homicidios, impunes todavía, la que
narra cómo, cuando nuestra Independencia, allí se oculta-
ban insurgentes; la que garantiza que allí se han sepultado o convertídose en polvo, yanquis y franceses; la que,
enseriándose, declara que aquello es el producto de una
ciclópea erupción y que se prolonga hasta el lejano puerto
de Acapulco... ¡qué sé yo cuánto más!... un mundo de con-
sejas y de verdades, un mundo de sucedidos y de sueños
que, al cabo de los tantos años, se han entremezclado y no
es posible fallar a punto fijo dónde la verdad acaba y dónde la mentira empieza.

En la presa grande descalzábase Santa, las tardes en que Agustina habíale consentido el paseo; y con sus zapatos en la mano, sintiendo en los pies trigueños el cosquilleo del agua que sin pudores se los lamía mientras ella cruzaba el río por encima de las piedrazas enclavadas en su cauce con ese fin, llegaba a la opuesta banda con el aliento cortado por el remotísimo peligro corrido de pisar en falso y sacarse, a lo sumo, un chapuzón sin consecuencias. En las lindes del Pedregal deteníase acobardada de considerar su anchura y desolación; era muy lindo, ya lo creo que lo era, pero ¡qué solo, Dios mío! Y uno de esos atardeceres en que Santa, sin advertirlo, entraba en casta meditativa comunión con la naturaleza, invadió la repentina melancolía, ansia de llorar para desahogar el pecho que se le oprimía. Rompió en llanto y al juntársele Cosme, de vuelta con sus animales, ni él ni ella atinaron con la causa de semejante tristeza.

—¿No será porque hayas hecho algo malo en tu casa y tengas miedo de que tu mamá te pegue? —inquirió Cosme apeándose del retinto y yendo a situarse al lado de Santa, que lloraba recargada de espaldas en un árbol—. Porque a mí sí me sucede, me entristezco desde antes de que me zurren y me acometen ganas de coger pa'llá, ¿ves?, hasta allá; con eso no vuelven a azotarme...

No era eso, no; a Santa la querían y la mimaban todos los de su casa.

—Mi tristeza es una tristeza que me sale de mi cuerpo, del pecho...

—¡Ah!... ¿te sale de tu cuerpo?... pues quién sabe qué será... ¿No será virgüela?

Varios días la tristeza persistió, complicada de cansancio y de predisposición al llanto. Sin embargo, su madre y sus hermanos no eran sorprendidos, antes redoblaron cariño y mimos. Hasta que cierta madrugada, al despertarse Santa con la despedida de Fabián y Esteban, el enigma se aclaró...

—¡Madre! —dijo a Agustina en cuanto quedaron solas—,
yo debo estar muy grave, vea usted cómo me he desangra-
do anoche...

—¡Chist! —repuso la anciana, besándola en la frente—,
esas cosas no se cuentan, sino que se callan y ocultan... ¡es
que Dios te bendice y te hace mujer!

Mujer y guapísima, más guapa conforme acababa de
desarrollarse más.

Principió entonces para su madre y hermanos un periodo de cuidado excesivo por la reina de la casa; principiaron los viajes a México, la capital, para que ella la
reconociese y ellos la obsequiaran con el producto de risi-
bles y muy calladas economías; principiaron los paseos
dominicales a San Ángel, a oír la banda militar que toca en
el portal del Cabildo, a ver la llegada de los tranvías me-
tropolitanos repletos de personas decentes y deseosas de
divertirse. Allá se iban, carretera arriba; el "Coyote" a la
descubierta, luego Fabián y Esteban, muy majos, el sombrero ancho y galoneado; ajustado pantalón y chaqueta
negra, roja y flotante la corbata, albeando la camisa, como
un espejo, en la cintura el ceñidor de seda, los zapatos nuevos, de amarillenta gamuza. Luego, Agustina y Santa;
Agustina a la antigua usanza, la de su época: enagua de
castor, botinas de raso turco, holgado el saco; pañuelo fino,
de hierbas, abrigándole el cuello, prendido al pecho, y las
puntas en triángulo, cayéndole en la espalda; abierto el
rebozo de "bolita" y oliente a membrillo, que es el perfume del cofre; en las orejas, gruesas arracadas de filigrana,
y en los dedos de la mano que carga el paraguas de algodón, tumbagas de oro desgastado y opaco. Santa, sin
otros atavíos que sus quince años, un vestido de muselina,
de corpiño y algo corto para que luzcan los piececitos
bien calzados, el rebozo terciado, trenzadas y libres las
aterciopeladas crenchas negras, y en éstas, un clavel prendido.

Allá van, por la amplia calzada que conduce a San Ángel, mirando a su derecha el bardal que por ahí limita la hacienda de Guadalupe y a su izquierda, las fachadas de algunas quintas lujosas, de personas ricas, desde la Casa de Sanz hasta la antiquísima y aristocrática Casa de Cumplido. Si aún es temprano, tiran a la plazuela de los Licenciados y a la de San Jacinto deteniéndose al volver, bajo el follaje de los truenos o de los fresnos, mezclados a las familias acomodadas que veranean en el pueblo a la moda; Esteban y Fabián aparte, apoyados en un tronco. Agustina y Santa sentadas en un banco de hierro, el "Coyote" enroscado a sus pies, hombres y mujeres silenciosos, inmóviles, con ese encogimiento que se adueña de los humildes cuando se hallan con los pudientes en un mismo lugar. Si es tarde ya, redúcense a no pasar de la plazuela del Carmen; se refugian en el portal del Ayuntamiento, escuchan una pieza de música, compran golosinas que no osan comer en presencia de tanto extraño, y después de que el ferrocarril del Valle —a las siete en punto, relleno de pasajeros que gritan, se llaman y ríen; con sus carruajes iluminados como si en su interior fuera a celebrarse una fiesta— parte rumbo a México con estruendo de edificio de vidrio que se viniese abajo, sembrando, en el camino que comienza a oscurecerse, ecos de canciones, de lloriqueos de niños, de risas de mujer, y miles de chispas ebrias que en el espacio rondan y de improviso se abaten sobre los pajonales que bordean la vía, la familia de Santa emprende el regreso.

Es la hora melancólica...

El campo crece y se ensancha desmesuradamente en el mar de sombra que lo inunda, los contornos de las cosas que nos rodean agrándanse a nuestra vista, y en nuestra alma penetra mucho de la ambiente quietud —también

as se aquietan y aminoran—, en tanto que las nos-

s más recónditas, lo inconfesado que no ha de realizarse nunca, se yergue realizable y hacedero; allí, muy cerca, en esa propia sombra, confundiéndose con todo lo que huye y con todo lo que en ella zozobra. Un *Angelus* de campanas pobres —las pocas que le restan al secularizado monasterio del Carmen— ciérnese tan desmayadamente en la altura que en nada perturba el devoto recogimiento de las cosas y la mística meditación de los espíritus...

Es la hora melancólica...

Prófugos de la realidad, Fabián y Esteban sueñan en alta voz un mismo sueño: conquistar la fábrica que, adormeciéndolos, a modo de gigantesco vampiro, les chupa la libertad y la salud. En ese instante, la solución del problema antójaseles sencillísima:

—Verás —se dicen, y dibujan grandes líneas en la atmósfera—, ahorrando tanto más cuanto, pues al cabo de un año, tendríamos...

No se desaniman frente a lo exiguo de sus ahorros, una miseria si se comparan a la montaña de sacos de pesos que la fábrica ha de valer. Necesitarían toda una vida, las dos vidas suyas, la vida del villorrio entero en incesante trabajo y en incesante economía, para amasar una suma mediante con que intentar la compra del monstruo insaciable y cruel, devorador de obreros, desde pequeños por él atraídos y utilizados y a quienes desecha, cuando no muertos, estropeados o ancianos, sin volver a recordarlos, como desecha los detritus industriales y las aguas sucias de sus calderas. No se desaniman Fabián y Esteban, resígnanse a continuar con su esclavitud mansa de bestias humanas que practican la honradez, y a fin de huir de las malas tentaciones, aproxímanse a Agustina y Santa. Por inveterada costumbre, Agustina va rezando su rosario trunco, evocado por el *Angelus*, que ya expiró entre estrellas y nubes. El "Coyote", gacha la cola y colgante la lengua, trota y desconfía, gruñe y se detiene de tiempo en tiempo olfateando las sombras. Santa suspira, anhela, espera... ¿qué?, lo que las mu-

chachas anhelan y esperan a los quince años; amantes de
espada de oro y capa de rayos de luna; besos que no sean
pecado; caricias castas; pasiones infinitas; hadas y magos...

Es la hora melancólica...

Nadie en Chimalistac se preocupó mayormente con el
cambio de destacamento de San Ángel. Súpose que en lugar de los "rurales" habían enviado a los de la Gendarmería
Municipal de a caballo, y los villanos se alzaron de hombros; echarían de menos, a todo rigor, las "chaparreras" y
chaquetas de cuero de aquéllos —indumentaria más al alcance de su comprensibilidad que los arreos a la europea
de éstos—. Por lo demás, y si el viento soplaba de arriba,
siguieron escuchando una corneta que sonaba igual a la
de los idos; las lavanderas del río siguieron mirando dos
veces a la semana el baño de los encanijados bridones en
la presa chica; y en la tienda de don Samuel, en la pulquería de don Próspero, siguieron fiando con escasas probabilidades de reintegro, copas de tequila y "tecomates" de
pulque a los valientes veladores de la seguridad comunal.

Sólo Santa —con dos primaveras más a cuestas—, a poco
de la llegada de los gendarmes, opinaba de diversa manera. No eran como los "rurales", ¡qué habían de ser!; eran
muy distintos, el alférez particularmente. Era en efecto el
tal, apuesto mozo; ancho de espaldas y levantado de pecho; dulce en el mirar y fácil en el reír, con lo que el casta-
ño bozo se le encaramaba a los morenos carrillos, y la
dentadura, blanca, apretada y pareja, relucíale cual si de
esmalte estuviese hecha, fuerte y joven; alto a pie y airoso
cuando cabalgaba en su irascible moro; siempre de uniforme y el uniforme siempre limpísimo, el kepí ligeramente
hacia atrás, dándole aires de espadachín y mujeriego.

Conociéronse cierta tarde, a la entrada del Pedregal, de
donde el alférez salía escoltado de unos dragones, y a donde dirigíase Santa en busca de Cosme, después de haber

cruzado el río descalza, por sobre los pedruscos que sirven de puente. Convencida de que no la sorprenderían, sentóse en el vivo suelo a enjuagarse y calzarse los desnudos pies; y como la pícara arena sofocase las pisadas de los militares, cuando Santa advirtió que la miraban, habíanla mirado ya demasiadamente. Y que el espectáculo valía la pena, demostráronlo a las claras lo turulatos que se pusieron los dragones y lo arrobado que se quedó el alférez.

—¡Permita Dios que mi corazón se vuelva de arena, para que usted lo pise! —declaró rayando su moro.

A partir de entonces comenzó el asedio, insistente de la parte del alférez, débil en resistencias por la de Santa, que no supo defenderse con las mismas energías que empleara al rechazar a Valentín, el compañero de fábrica de Fabián y Esteban, que por ella se perecía, el trovador tímido que sólo acertaba a suspirar delante de la amada. El alférez, en cambio, caminó deprisa; sobrábanle ardides para tropezar con la chica y no faltaban mañanas para charlarle, en broma por supuesto. Santa, que a los principios mostrábase hosca y muda o arrancaba a esconderse en su vivienda, con objeto de no dar oídas al galanteador, fue ablandándose poco a poco; ya reconocía a distancia los andares del moro; ya se detenía frente al espejo más de lo que había acostumbrado detenerse; ya se sentaba a la vera del Arenal —la ancha calle que a San Ángel lleva—, por lo que tarde a tarde y sin escolta descendía el gallardo municipal. Como de rigor, ni su madre ni sus hermanos advirtieron mudanza tanta; y la muchacha, mariposa del campo, no pudo sustraerse a la flama que le fingía el vicioso y descuidado mancebo, quien, a su vez, ardía en deseos de morder aquella fruta tan en sazón que no perseguía por amor, sino porque creía tenerla al alcance de su ociosa juventud, de su dentadura de buen mozo que hoy vive aquí y mañana allí con su poquito de autoridad, gracias a los galones y a la espada, sin importarle cosa mayor derrumbar un cercado o trocar en lágrimas de desesperanza los apasionados besos con que le dieron la bienvenida... ¿qué remedio? Él no creó el mundo ni las penas, es un ignorante, un irresponsable, un macho común y corriente que se proporciona un placer de amores donde le cuesta menos y le sabe más; es uno de tantos que no se angustian por averiguar quiénes fueron sus padres ni quiénes son sus hijos; un engendrador inconsciente que no sabe reparar los desfloramientos de las doncellas campesinas que se le entregan, ni los descosidos que en ocasiones le afean su uniforme de guardia trashumante..

De ahí que cuando Santa, en sus pláticas diarias y casuales con él, le espetó muy seria que se dirigiese a Agustina, Marcelino Beltrán, alférez, se echara a reír con su franca desvergonzada risa de veintidós años, le acariciara la barba a su novia, y de un latigazo rompiera el tallo de unas flores que en nada se metían:

—¿Y para qué he de decirle algo a tu madre si a ti te lo he dicho todo...?

Todo, en verdad, habíaselo dicho a Santa; las palabras cándidas con las que es de ley que comiencen los amores, y las quemantes que vienen luego y apenas se murmuran, enlazadas las manos, muy cerca los rostros, los *ojos* en los *ojos*, secos los labios, el ánimo desfallecido y cobarde.

De común acuerdo tácito, conforme Santa columbraba a Marcelino bajando el Arenal, ella internábase por los "callejones" de la aldea, y sin delatarse ante los conocidos que la saludaban, escogía el camino más largo pero menos frecuentado, y no paraba hasta la frontera del Pedregal. Reuníasele el alférez, y juntos ya, volviendo la cara a cada minuto para no ser sorprendidos, hundíanse Pedregal adentro. Claro, ni quien los fiscalizara en las soledades ésas —que no eran fiscales los pájaros que volaban al aproximárseles la pareja, ni las ramas de los arbustos, ni los crispados brazos de los árboles que se secreteaban Dios sabe qué asuntos, en su mágico idioma druídico de roce de hojas y murmurar de cosas. Por instinto de propia defensa, Santa no consentía acercamientos, se colocaba a sabia distancia que el taimado alférez respetó en las primeras entrevistas, cuando juraba por las ánimas benditas que no lo guiaba torcida intención ni dañado apetito, cuando solamente repetía muy quedo la monótona, la vieja y dulce canción:

— Te quiero mucho, mi Santa, te quiero mucho, mucho... como nunca he querido y como nunca volveré a querer...

No le contestaba Santa, ¿con qué había de contestarle si la sangre se le iba hondo, el corazón pugnaba por salírsele y la voz, amotinada en la garganta, en caso de brotar, habríale brotado metamorfoseada en sollozos de dicha? Lo que hacía era cerrar los ojos, para atajar el vértigo, y respirar de prisa, de prisa, para no sofocarse. ¡Si le hubiera contestado, hubiese sido para rogarle que continuara diciéndole eso que decía, la mentira secular que todas las mujeres y todos los hombres creen y prometen, la milenaria quimera de que la fidelidad y el amor sean eternos!

Fue el Pedregal un cómplice discreto y lenón, con sus escondrijos y recodos inmejorables para un trance cualquiera, por apurado que fuese a diferencia de la tapia de "Posadas" o de los sotos de la hacienda de Guadalupe o de los contornos de "Portales", donde el tranvía de Churubusco, la malicia de un caminante, cualquier pequeñez impensada podía descubrirlos. Y en el Pedregal acaeció el lento abandono de Santa, que dejó que le apretaran una mano; luego, que le ciñeran la cintura; luego, que Marcelino se le acostara en el regazo, "con objeto — afirmaba el tuno—, de contemplarla a sus anchas"; y por último, dejando que le besara las manos — ¡las manos nada más! —; después el cuello, con un besar suave y diabólico, rozando la piel; después la boca, en los mismísimos labios

entreabiertos y húmedos de la doncella, que se estremeció
de voluptuosidad y trató de escapar, temblorosa, implo-
rante.

—Suéltame. Marcelino, suéltame, por Dios Santo... ¡que
me muero!...

Sin responderle y sin cesar de besarla, Marcelino desflo-
ró a Santa en una encantadora hondonada que los escon-
día. Y Santa, que lo adoraba, ahogó sus gritos —los que
arranca a una virgen el dejar de serlo— con el llanto que le
resbalaba en silencio, con los suspiros que la vecindad del
espasmo le procuraba, todavía besó a su inmolador en
amante pago de lo que la había hecho sufrir, y en idolátrico
renunciamiento femenino, se le dio toda, sin reservas,
en soberano holocausto primitivo; vibró con él, con él se
sumergió en ignorado océano de incomparable deleite, inmenso, único, que bien valía su sangre y su llanto y sus
futuras desgracias que sólo era de compararse a una muerte
ideal y extraordinaria.

La catástrofe consumada, contempláronse mudos, jadeantes, sudorosos; Marcelino, confuso, se puso en pie;
Santa, a medio sentar en el alfombrado suelo, segaba puñados de yerba que en seguida desmenuzaba entre sus dedos trémulos. La tarde, apaciblemente, descendía. En el
silencio majestuoso del despiadado desierto volcánico oíanse de tiempo en tiempo y allá, lejísimos, vaya usted a saber
dónde, una plañidera esquila de ganado, el afligido balar
de alguna oveja extraviada y el incoloro canto de un niño
—Cosme quizá, que regresaría contento con sus vacas,
montando en el caballo de Fabián y Esteban.

—¿Nos iremos, te parece? —propuso Marcelino para
poner término a la embarazosa situación.

—¿Y en qué lugar quieres que yo me presente así...?
—replicó Santa, muy conmovida, haciendo alusión a su
virginidad asesinada.

Marcelino no entendía de esas exquisiteces ni de esos melindres, por lo que replicó airado:

—Supongo que a tu casa, ¿o pretendes que te lleve conmigo al cuartel?...

—Llévame a donde sea, allá tú, lo que es a mi casa ya no vuelvo.

—¡Santa, no digas disparates, vuelve a tu casa, y mañana con más calma y más tiempo, pensaremos lo que convenga, ven!

Y por un brazo la levantó, la asió del talle y enderezó sus pasos a la salida del Pedregal, intentando consolarla, tranquilizarla especialmente: lo que les había acontecido no carecía de remedio.

—Ni a tu sombra le digas una palabra, que nadie se entere, y yo te ofrezco que en cuanto pueda, muy pronto, me casaré contigo, a lo pobre, porque pobre soy, pero eso sí, para hacerte feliz, ¿oyes? Lo que se llama feliz... ¿No me respondes, se te acabó ya el cariño?...

—¿Qué se me ha acabado el cariño?... Mira, te quiero tanto, que si mil virginidades poseyera y las apetecieras tú, las mil te las daría a tu antojo, una por una, para que la dicha que en mi cuerpo alcanzaras no la igualaran los cuerpos de las demás mujeres que de ti han de enamorarse... ¡Pero no me desampares, Marcelino, por nuestra Señora del Carmen, no me desampares!... Si conocieras a mi madre y a mis hermanos... capaces son de matarte en descubriendo esto... Dime que no me abandonarás, dime que me quieres todavía, como antes de...

—¡No, te juro que no! —exclamaba Marcelino contrariado ante el sesgo de los sucesos—, no seas nerviosa, mujer, no se creería al verte sino que ya te echaron de tu casa y el pueblo entero te señala con el dedo... Si ninguno lo sabe, cobardona, a ver, busca testigos que nos acusen... Y luego, tampoco te creas que lo que te ha sucedido es una desgracia tan grande, quiero decir, no es irreparable por lo pronto ni hay para qué publicarla. Anda, mi Santa —agregó acariciándola contra su propio pecho—, regresa tranquila a tu casa, que nada sospechen, y mañana volveremos a vernos, los dos solos, como hoy, y te apuesto a que te ríes de tus miedos.

Por los dos tremendos arcos de la presa grande, despeñábase mucha más agua, y de todas partes salían tinieblas, era casi de noche. Tres o cuatro "tlachiqueros" de vuelta del trabajo, encorvados bajo el peso de la hinchada odre, los codearon sin reconocerlos.

—Buenas noches dé Dios —murmuraron sin disminuir su precipitado andar.

—Buenas noches —contestóles Marcelino fingiendo la voz, mientras Santa se ocultaba a espaldas de su amante.

Ya no podían vadear el río por encima de los pedruscos inmóviles, porque las fábricas que durante el día han aprovechado su corriente y apresándola, a esas horas danle rienda suelta y él crece, recupera su imponente volumen. Debían, pues, caminar por la otra ribera, de vereda angostísima, y ganar el peligroso puente, el tronco del árbol labrado a hacha, sin barandal ni amparo, que reclama agilidad, firmeza y hábito en quien se arriesga a cruzarlo. Diríase del río, según lo negro que se divisaba, que más era de tinta que de agua, y que el ruido que producía era un suspiro interminable y tétrico. Los perros de ranchos y heredades ladraban invisibles.

—¡No, tú primero! —indicó Marcelino retrocediendo al topar con el extremo del puente—, enséñame tú, que tienes costumbre de pasarlo... Esto no es puente, es una atrocidad... lo menos habrá seis varas de ancho.

—Dame la mano —repuso Santa—, no veas para el agua y déjate conducir.

A la mitad del inseguro tronco, Santa se detuvo y, con una decisión que hacía más solemne el abismo abierto a sus pies, la oscuridad de la noche y el ronco gemir del agua que corría a gran prisa, impedida de volver la cara so pena de perder el equilibrio, dijo:

—¡Marcelino, júrame otra vez, pero júramelo por tu alma, que suceda lo que suceda, no has de abandonarme si no, me tiro!...

E hizo ademán de soltarlo.

—Por mi alma te lo juro, Santa, no seas loca, que nos caemos respondió el alférez transido de terror.

Apenas tuvieron tiempo de despedirse al pisar la orilla, la feroz campesina había distinguido unos bultos a lo lejos.

—¡Escóndete y vete, que ahí vienen mis hermanos!

Y con Fabián y Esteban —pues ellos eran— entró Santa en su casa y urdió embustes; qué sé yo qué historia de extravío en el Pedregal, de congojas que la amilanaron, de gritos estériles pidiendo socorro...

—¿Con quién hablabas? —inquirió sombríamente Fabián.

—Hablaría yo sola, ¿con quién había de hablar en el puente? ¿No viste que en cuanto los divisé me eché a correr?

Se cuenta que aquella noche no durmió dentro de la blanca casita ninguno de sus habitantes. Fabián encendió más de un cigarrillo y Esteban, a las altas horas, dirigióse primero al rincón en que reposaba la escopeta, y después al patio; sin hablarse entre sí, por mucho que se sabían desvelados y desvelados por una preocupación común. Agustina, de cuando en cuando, como si barruntase que por malas artes le marchitaban el lirio de su vejez, con pretextos de subir el embozo o de componer las almohadas, palpaba suavemente a su hija. Y Santa, oprimiéndose el corazón, que le latía cual si en unos segundos le hubiese crecido hasta no caberle en el enamorado seno, se estuvo muy quieta, apretadas las piernas, por temor de que su madre, con el sólo tacto, le descubriera la infamante e incurable herida...

Faltó Marcelino a la cita del día siguiente, y en una semana no dio señales de vivir. Santa adoptó una extrema resolución: en persona buscarlo y darle en el rostro con su abandono, pues aunque la antigua armonía de la familia se hallaba a punto de romperse, no era tanto el nublado a impedir, por ejemplo, el que la muchacha se encaminase a San Ángel, donde a la sazón celebraban la anual y afamada Fiesta de las Flores.

Sin parar mientes en la animación de la plazuela, en la que amén de un circo de toros que unos carpinteros levantaban por orden y cuenta del H. Ayuntamiento, figuraban, diseminadas tiendas de campaña con ruletas y otros juegos igualmente recomendables; puestos de frutas y de frutos; pulquerías a la intemperie y fonduchas al abrigo; el conjunto, con esa fisonomía característica de las ferias rurales. Santa hizo rumbo al convento del Carmen, traspuso su cerrado y espacioso atrio y antes de penetrar en el templo miró hacia el cuartel invasor, que ha sentado sus reales en el nacionalizado claustro. No estaba Marcelino. Un dragón, vestido de dril, hacía centinela junto al carcomido poyo de ladrillos, y al través de los apolillados barrotes de las anchas y recias ventanas que dan luz a lo que ahora es prevención y fue antes tránsito abovedado y semigótico, mirábanse hasta diez carabinas militarmente reclinadas en un armero afianzado en la pared.

De pie en la puerta de la iglesia, Santa vacilaba, supuesto que no iba a orar, ¿para que meterse en el sagrado recinto? Y disimulando su rubor, llegóse al centinela.

—Usted dispense, ¿podría yo hablarle al señor oficial Beltrán?

—¡Cabo cuarto! —gritó el dragón por respuesta, al par que guiñaba sus ojos a la chica.

Aún más ruborizada tuvo Santa que repetirle su demanda al cabo, un hombrecito bonachón que se hacía el sueco para prolongar la charla y que se disputó por apoderado jurídico del alférez, su mejor confidente y su tío abuelo.

—Dígame a mí sus quebrantos, mi alma, y verá que yo no soy mala paga.

De pronto, surgió Marcelino mirando iracundo a Santa y a su interlocutor, que en el acto se retiró, cuadrado, marcando el "paso atrás, marchen" de la ordenanza.

—¿Tú en el cuartel, Santa?... ¿Qué quieres?

—¿Y me lo preguntas?, quiero...

—Bueno, bueno —le interrumpió Marcelino—, no hablemos aquí. Escoge sitio, el que te cuadre, y yo te sigo.

Como saeta atravesó Santa la enfiestada plazuela, bajó la rampa del paradero de los tranvías, pasando por la enredadera de una casa de juego con música y curiosos en sus afueras, y cogió a su izquierda, a campo traviesa, en dirección a Tlacopac. Mas, en lugar de recriminaciones que de memoria habíase aprendido, en lugar de las disculpas que Marcelino hubiera debido presentarle, acaeció lo que acaece siempre que una mujer se ha entregado por amor y un tunante la ha seducido por vicio: las recriminaciones nacen enclenques, se enredan con las lágrimas, tropiezan con los besos, y el seductor triunfa, vuelve a jugar, a prometer; las dos juventudes se atraen con secreta fuerza incontrastable, y la mujer se entrega de nuevo experimentando un goce mayor, más duradero e intenso, precisamente porque ahora viene amasado con el remordimiento.

En consecuencia no quedaron en nada —que es quedar en nada la mutua oferta de continuar queriéndose.

Muy azorada volvía Santa a su casa, cuando al pasar una segunda vez por la enramada de la garita de la rampa de la estación, detúvola una señora mayor, alhajada y gruesa que se desprendió de un grupo de caballeros.

—¿Adónde vas tan volando, chiquilla? Déjate mirar...
¡qué guapa eres!

Contra su voluntad detúvose Santa y se dejó mirar, saboreando todavía las heces del fruto prohibido acabado de gustar. Confusamente escuchó que la alababan, que en broma averiguaban si había regañado con el novio, y en serio, por modo profético, ofrecíanle una ganancia de veinte pesos diarios en oficio descansado y regalón, para el evento de que ese mismo novio la plantara.

—Preguntas por Elvira la *Gachupina*, plaza tal, número tantos, en México, ¿se te olvidará?... Prometo trocarte en una princesita.

Siguió Santa hasta su vivienda, en la que recaló agitada y sonriente, a fin de despistar las suspicacias crecientes de Agustina y las de Fabián y Esteban que disfrutaban de vacaciones a causa de la feria: la fábrica holgaba tres días.

Con la conclusión de la tal feria coincidió el principio y desarrollo de las desventuras de Santa. Decididamente Marcelino la huía, y al cabo de un mes de amores, sin duda sintióse ahíto, pues antes se recataba de la muchacha que procurar su encuentro. Y un buen día, de mañanita por el Arenal desfiló Marcelino a la cabeza de su destacamento, camino de México por lo pronto, y de otro pueblo más tarde; sin aviso previo a Santa, que ignoraba lo del cambio de guarnición; sin toques de clarín ni tropel de los caballos que silenciosamente hundían sus cascos en la arena floja de la ancha senda. Si no es por los chillidos de un granuja de Chimalistac que anunció la partida y alborotó a sus compinches, Santa ni lo sospecha siquiera. Corrió al igual de la gente menuda, en pos del anunciante.

—¡Vengan a ver a los soldados de San Ángel!... ¡Ya se van!

De balde la carrera, que lo único que les fue dable contemplar redújose a la polvareda que el piquete levantaba en su marcha y que lo defendía a guisa de impenetrable escudo de las aldeanescas curiosidades. Un momento, cuando el pelotón trepaba por el empinado puente de El Altillo, que luce unos guijarros como puños, la nube de polvo deshízose en lo alto y algo pudo determinarse de la espalda de los dragones de retaguardia con la carabina terciada, las ancas de los trotones y una cola que otra en colérico rabear contra las moscas. Al convencerse Santa del cobarde y eterno abandono, pegóse a una tapia, que, con ser de piedra fabricada, parecíale menos dura que las entrañas del fugitivo, y llevándose el delantal a los ojos, ¡cómo lloró, Virgen Santísima, cómo lloró!, por su corazón y su cuerpo bárbaramente destrozados, por el ingrato que se le escapaba y por el inocente que dentro de su ser le avisaba ya su advenimiento futuro...

Aquí se le embrollaban a Santa sus recuerdos, por lo que la involuntaria evocación resultaba trunca. Destacábase, sin embargo, con admirable y doliente precisión, el aborto repentino y homicida a los cuatro meses más o menos de la clandestina y pecaminosa preñez, a punto que Santa, un pie sobre el brocal del pozo, tiraba de la cuerda del cántaro, que lleno de agua, desparramándose, ascendía a ciegas. Fue un rayo. Un copioso sudar; un dolor horrible en las caderas, cerca de las ingles, y en la cintura, atrás, un dolor de tal manera lacerante que Santa soltó la cuerda, lanzó un grito y se abatió en el suelo. Luego, la hemorragia, casi tan abundante y sonora cual la del cántaro, roto al chocar contra las húmedas paredes del pozo. Agustina, inclinada junto a ella, aclarando el secreto, titubeante entre golpearla y maldecirla o curarla y perdonarla...) El "Coyote", lamiendo la sangre que se enterraba, y uno de los gallos de lidia, cantando inmotivadamente... ¿Qué sucedió en seguida?... Rostros sombríos, callar de catástrofe, fiebre intensa, la maledicencia del lugarejo husmeando y desfigurando lo sucedido. Pasados veinte días desde que el médico dio de alta a la enferma, un tribunal

doméstico e implacable presidido por Agustina, más vieja
y encorvada después del siniestro, muy hundidos los ojos y
muy temblón el pulso; con Fabián y Esteban de acusadores,
avergonzados y hoscos, decididos, a semejanza de paladines de leyenda, a reivindicar su honra maltrecha, su
honra rústica, pero intacta, con la que dichosos vivían; y
Santa, ojerosa y pálida, sentada entre sus jueces, a la mitad del patio, a la sombra de sus naranjos colmados de
fruto. Muy arriba, el cielo, divinamente límpido, impenetrable, sereno; y de muy abajo, débil, el rumor del río condenado a perpetuo viaje, que intenta asirse a las peñas, a
los ribazos, a los árboles para descansar un minuto, y de
no lograrlo, siembra en su curso espumas que desba-
rátanse suspirando lágrimas que se prenden a las hojas
y flores agarradas a la orilla.

En la imposibilidad de prolongar el engaño, Santa ha-
bíales narrado su idilio trágico, mas que no le exigiesen
pronunciar el nombre de su amante, nunca, averiguáranlo
ellos si podían.

—Así me maten, no he de decirlo, ¡no, no y no!

Ante su obstinación y ante el furor de sus hermanos,
que a duras penas contenían la ira, ¡quién sabe qué cosas
tristísimas murmuró la anciana en hierática actitud, sobre
las rodillas las manos, rígidos los brazos, el busto enhies-
to, la cabeza hacia atrás, con lo que su guedeja de inmaculadas canas, suelta y en desorden encima de sus
pobres hombros flacos, simulaban un resplandor de imagen imprecisa dentro de alguna nave a media luz! Ello fue
que entornó sus ojos y que Santa escuchó frases que al
mismo corazón iban a anidársele... ¡quién sabe qué cosas
tristísimas de infancia, de cuna blanca, de sacrificios y desvelos; de "si tu padre resucitara, lo habrías apuñaleado";
de recuerdos de su primera comunión y reminiscencias de
sus primeros pasos; de lamentaciones amargas y cando-
rosas frente a lo inevitable, lamentaciones de criatura que

resultaban sarcasmo al pasar por los labios de mujer que había vivido tanto... No la maldecía porque impura y todo, continuaba idolatrándola y continuaría con la infinita misericordia de Dios... Pero sí la repudiaba, porque cuando una virgen se aparta de lo honesto y consiente que le desgarren su vestidura de inocencia; cuando una mala hija mancilla las canas de su madre, de una madre que ya se asoma a las negruras del sepulcro; cuando una doncella enloda a los hermanos que por sostenerla trabajan, entonces, la que ha cesado de ser virgen, la mala hija y la doncella olvidadiza, apesta cuanto la rodea y hay que rechazarla, que suponerla muerta y que rezar por ella.

Y con supremo esfuerzo —pues los fingidos alientos se concluían—, Agustina se puso en pie, agrandada, engrandecida, sacra.

Y conforme Agustina se enderezaba, Santa fue humillándose, humillándose hasta caer arrodillada a sus plantas y hundir en ellas su bellísima frente pecadora.

Y Esteban y Fabián, también de pie, en toda la hermosura de sus cuerpazos de adultos sanos y fuertes, por obra de interno deslumbramiento, se descubrieron.

—¡Vete, Santa!... —ordenó la madre mancillada en sus canas—, ¡vete!... que no puedo más...

De veras no podía más, y a modo de añosa encina que un rayo descuaja, desplomóse en brazos de Fabián y Esteban, que en su auxilio vinieron.

Mientras Santa, sin resistir al último mandato materno, se despedía de seres y cosas con hondo mirar angustioso, y se encaminaba tambaleante de desgracia y de llanto, a la salida de la casita.

En la reja se detuvo aún, con la esperanza de que la llamaran. Volvió el rostro y sólo contempló a su madre entre los brazos de sus hermanos, la diestra levantada como cuando la mandara irse, en solemne grupo patriarcal de los justicieros tiempos bíblicos.

Un brusco movimiento del vecino de lecho de Santa, que en sueños se desperezaba, hizo que la muchacha tornase a la realidad e interrumpiera su largo peregrinar a través de su vida. Por un instante, pensó en mudar de sitio y acostarse, para lo que de noche faltaba, en el canapé o en la alfombra, pero una reflexión la contuvo; ya que no había tenido valor de arrojarse al río de su pueblo, que le brindaba muerte, olvido, la purificación quizá, y si había tenido la desvergüenza de tirarse a éste en que ahora se ahogaba, tan nauseabundo y sucio, ¡debería acabar de ahogarse y de perecer en el revuelto limo de su fondo!

Capítulo III

—¡**B**ravo, Hipo, muy bien tocado! ¿Cómo dices que se llama...?

—*Bienvenida* —contestó el ciego sin abandonar el piano.

—¡Pues *Bienvenida* otra vez, anda! —gritaron en coro los visitantes del prostíbulo, siguiendo el baileteo con las mozas.

La tal *Bienvenida* era, en efecto, una danza apasionada y bellísima, a pesar de su médula canallesca. En su primera parte , sobre todo, parecía gemir una pena honda que no dejaba adivinar totalmente los acordes y contratiempos de los bajos; luego, en la segunda —que es la bailable—, la pena vergonzante desvanecíase, moría en la transición armónica y sólo quedaban las notas de fuego que provocan los acercamientos; el ritmo lúbrico y característico que excita y enardece. Hasta cuatro veces obligaron a Hipólito a repetir su composición, en medio de aplausos explosivos y gritones.

—Esa danza es para mí, ¿verdad, Hipo? —aseguró Santa al músico, cuando se llegó al piano en busca del sombrero de aquél.

—Sí, Santita, ésta y otras dos que le tocaré luego, en cuanto los visitantes nos dejen; para usted son las tres —declaró Hipólito grave.

Santa realizó prodigios con el sombrero del músico en su poder, hizo una colecta excepcional, de casi media docena de duros. Y sonándolos, contentísima, con sus manos los introdujo en los bolsillos de la americana del compositor, que continuaba de frente al piano, liando un cigarrillo con su admirable destreza táctil de ciego. Junto al oído, le murmuró:

—No piense usted que le pago con dinero, Hipo, pero es muy justo que éstos lo aflojen. Yo le agradezco a usted mucho que se haya acordado de mí... Créame, se lo agradezco mucho.

Por rara y mutua atracción, Santa e Hipólito simpatizaron desde que se conocieron, por supuesto una simpatía inconfesada y tímida, dado que en el medio en que ambos actuaban, es prohibido tomar a lo serio cualquier sentimiento ligeramente ideal, ¡qué no!, o se ama de verdad o se ama de fingido, resultando en ocasiones —las más— que ni esas pobres mujeres ni los hombres que con ellas viven en intimidad siempre relativa, podrían asegurar cuándo de veras aman y cuándo de veras fingen. Hipólito y Santa simpatizaron, pero una vez el fenómeno producido y descubierto, ambos ocultáronlo por recíproco acuerdo egoísta, ya que en lugar de ganar nada con que se enteraran las compañeras, él perdería la casa —¡y era una de las principales del ramo!— y ella los mimos y consideraciones que le prodigaban la "dueña" y la "encargada", no bien advirtieron que a Santa, por ser aún carne fresca, joven y dura, disputábansela día a día los viejos parroquianos y los nuevos que iban aprendiendo la existencia de tesoro semejante. Porque Santa triunfaba; había triunfado ya con sólo consentir que la desnudasen y bañasen con *champagne* en un gabinete reservado de la *Maison Doreé*, cierta noche que los miembros del *Sport Club* celebraron con cena orgiástica el hallazgo de esta *Friné* de trigueño y contemporáneo cuño.

A contar de la edificante cena, trocóse Santa de encogida y cerril en cortesana a la moda, a la que todos los

masculinos que disponían del importe de la tarifa, anhela-
ban probar. Más que sensual apetito, parecía una ansia de
estrujar, destruir y enfermar esa carne sabrosa y picante
que no se rehusaba ni defendía; carne de extravío y de in-
famia, cuya dueña, y juzgando piadosamente, pararía en
el infierno; carne mansa y obediente, a la que con impuni-
dad podía hacerle cada cual lo que mejor le cuadrase. Y
aunque entre tantísimo caballero había padres de familia,
esposos, gente muy adinerada y muy alta, unos católicos,
otros librepensadores, filántropos, funcionarios, autoridades, como la muchacha tenía que perderse a nadie se le
ocurrió intentar siquiera su rescate — ¡que en este Valle de
lágrimas fuerza es que todos los mortales carguemos nuestra cruz y que aquel a quien en suerte le tocó una pesada y
cruel, pues que perezca! Aquello fue un furioso galopar
de personas decentes, respetables, alegres y serias, tras la
muchacha recién caída; pero galopar agresivo, idéntico al
de los garañones de las dehesas que, encendidos en bestial lascivia, nada los contiene ni nada respetan. Puede
decirse que la entera ciudad concupiscente pasó por la alcoba de Santa, sin darle tiempo casi de cambiar postura.
¡Caída!, ¡caída la codiciaban!, caída soñábanla!, ¡caída brin-
dábales la vedada poma, supremamente deliciosa!...

Santa, en sus adentros y hembra al fin, sentíase halaga-
da con esa adoración que trazas llevaba de no concluir
nunca; y en vez de enfermar, sonreía —en su perenne
desnudez impúdica, coronada la cabeza de negras crenchas
con sus sonrosados brazos mórbidos— de aquel incesante
desfile de hombres que se le acercaban trémulos y le aplas-
taban los labios con sus besos; que la ensordecían con juramentos susurrados y de instantánea duración, para luego
despedirse arrepentidos de sus propios extremos, deján-
dole unas cuantas monedas sobre los muebles y en ella
una mezcla de desdén y de ira hacia todos que no sólo le

exigían las bellezas de su cuerpo sano y macizo, sino que los amara, que los amara.

—¡Ámame —imploraban entre billetes de banco y rabiosas caricias—, ¡ámame un instante a lo menos!

¡Amarlos...! ¿Y cómo había de amarlos, si el primer tunante con quien tropezó dejóla sin el menor deseo de que la aventura se repitiese? ¿Acaso los hombres merecen ser amados?...

Mientras hallaba respuesta que satisficiese su duda, persistía el desfile de masculinos, la lluvia de monedas y caricias; persistía su buena salud resistiendo a maravilla esa existencia de perros. Santa embelleció más aún; excesos y desvelos, cual diabólicos artífices empeñados en desatinada junta, en vez de arruinar o desmejorar sus facciones, hermoseábanla a ojos vistas, que hasta las palideces por el no dormir y las hondas ojeras por el tanto pecar, íbanle de perla a la campesina. Lo que sí perdía, y a grandísima prisa por desgracia, era el sentido moral en todas sus encantadoras manifestaciones; ni rastros quedaban de él, y por lo pronto que se connaturalizó con su nuevo y degradante estado, es de presumir que en la sangre llevara gérmenes de muy vieja lascivia de algún tatarabuelo que en ella resucitaba con vicios y todo. Rápida fue su aclimatación, con lo que a las claras se prueba que la chica no era nacida para lo honrado y derecho, a menos que alguien la hubiese encaminado por ahí, acompañándola y levantándola, caso que flaqueara. En los instantes —cada día más raros— en que oleadas de remordimiento la asaltaban y entristecían, entraba en fugaces coloquios consigo misma; pero por mucho que volvía el rostro dispuesta a pedir auxilio, a modo de persona que se ahoga, sólo contemplaba a entrambas orillas de su vivir gente que se encogía de hombros o que se esforzaba porque de una vez se ahogara y con ello desapareciese la tentación lindísima de su cuerpo. Entonces, los remordimientos desvanecíanse, se esfumaban los incompletos recuerdos de su catecismo, de su niñez y de su madre, y víctima de sus propios instintos, se abandonaba con indolencias y fatalismos de odalisca a lo que disputaba por su mala suerte. ¿Que dónde finalizaría con semejante vida?... ¡pues en el hospital y en el cementerio, puerto inevitable y postrero en el que por igual fondeamos justos y pecadores! Mas de aquí al término, recetábase un puñado de lustros en el que disfrutaría de salud y de belleza; la belleza y la salud que se conocía de coro con tanto lucirlas y bañarlas y venderlas. Esto por lo que a la materia mira, que en lo que al espíritu atañe, si es cierto que se declaraba delincuente en grado sumo, secretamente contaba con que le sería concedido, puesta ya en las últimas, tiempo bastante para desagraviar a Él a quien minuto a minuto agraviaba y cuyo nombre ni a solas pronunciaba por supersticioso temor.

—No debemos mencionarlo nosotras, ¿verdad Hipo? —le preguntó al pianista, a la sazón que una de las mujeres de la casa, hecha un mar de lágrimas por inmensa desgracia que la afligía, invocábalo sin cesar.

—Pues oiga usted, Santita, eso es difícil de resolver... Ahí tiene usted a la Magdalena...

—¿Qué Magdalena?...

Ni Hipo lució íntegra su erudición, porque unos parroquianos ebrios interrumpieron la consulta, ni aunque la luciera convence a Santa, que se aferró a no mentar el divino nombre para no profanarlo con sus labios impuros.

En cambio, y con aquel instinto femenino que raramente se equivoca en adivinar a quién agrada y a quién no, Santa fue intimando con Hipólito, cobrándole un afecto extraño, más que simpatía y mucho menos que amor. Hasta sufría junto a él, junto a su precipitado movimiento de cejas, junto a sus horribles ojos blanquizcos de estatua de bronce sin pátina, que no obstante no ver, diríase que miraran, que la miraban a ella sobre todo, cuando él se los clavaba con espantosa inmovilidad, como si confiase en que por tal manera se operaría el imposible prodigio de recuperar la vista, o como si pretendiese grabar en sus monstruosos globos sin iris las facciones de esa mujer que presentía bella y joven. Santa sufría y, sin embargo, se le acercaba procurando desviar el rostro para no encontrarse con la mortecina luz de aquellos ojos que casi la miraban con algo de súplica desesperada por no poder mirarla. Y lo que es conversar, gustosísima conversaba con él y aun sometía a su experiencia de veterano en libertinaje, algunos problemas que por novicia en la prostitución resultábanle complejos e insolubles.

Así dio principio la buena y mutua amistad, acudiendo Santa a quien más sabía, e Hipo enseñando a la ignorante su crecido caudal de conocimientos turbios. Los pocos ratos que a Santa dejaban libre sus quehaceres, consagrábalos al comercio del músico; y a media voz, cuando él no manoteaba en el piano, en voz fuerte cuando ejecutaba sus habilidades, salían las preguntas y las respuestas, los sabios consejos y las reconvenciones tímidas; unas y otros fragmentarios, dislocados pues a Santa la reclamaban sin cesar, a Hipolito le exigían que tocase horas enteras y los importunos se acercaban a interrumpir la confidencia y a trocarla en cháchara sin sustancia ni miga. En cuanto vuelven a hallarse solos, reanudan el hilo roto y, lentamente, van simpatizando; Santa experimentó conmiseración y pena hacia su mentor —que no parece que padezca lo que padecer debía— y el mentor siente estremecimientos fugitivos cuando su nueva amiga se le aproxima demasiado o apoya sobre sus espaldas los torneados brazos que han servido para conducir el mugriento sombrero del pianista y arrancar dádivas monetarias a la clientela de la casa. En ésta se suena que el tal Hipo es un granuja de marca mayor, un sátiro impenitente, y las muchachas lo embroman, intentan correrlo:

—¡Ah, pillo?, ¿conque te has prendado de Santa?...

—¡Y de ustedes también, a todas me las comería de un bocado, aaah!... —Y abre la bocaza, repite por millonésima ocasión una mímimca fantástica espantosa que le es familiar y que el mujerío acoge con carcajadas, gritos y conjuros.

Una noche en que la demanda había sido floja y que las chicas se tumbaban en los canapés, sacaban "solitarios" de naipes o dormitaban en los rincones, aguardando la hora de disponer a su antojo de sus personas, Pepa, como cualquiera matrona de buen vivir, púsose a tejer una bufanda de estambres para su Diego, e Hipólito y Santa, junto al piano siempre, hablaron por la primera vez de cosas serias, de sus existencias respectivas nada menos. Ya Santa despepitó su historia, enterita, y ahora se ha encaprichado porque Hipólito le cuente la suya. El músico se resiste.

—No, si no es que no quiera, es que se va usted a entristecer, y yo de paso...

—Bueno —replica Santa, fingiendo enojos—, nada me cuenta usted, pero mañana no me pida ni que le hable...

—¡Eso nunca, Santita, por lo que usted ame más!... Escuche usted, sí, bien cerca, para que no nos oigan...

Luego de reconcentrarse un momento y de chupar nerviosamente su cigarrillo, comenzó:

—Figúrese usted, Santita, yo no conozco luz ni padres...

He hizo una larga pausa, los párpados cerrados; el cigarrillo, de chuparlo tan aprisa, le chamuscó el bigote.

—¿A sus padres de usted tampoco? ¿Y por qué? —inquirió Santa azorada.

—A mi padre porque sospecho que jamás se preocupó de mí, y a mi madre porque con esta ceguera condenada no la veía, y aunque la hubiera visto, se me habría olvidado... nos separamos cuando yo era un niño y ella estuvo forzada, por sabe Dios qué, a abandonarme en la Escuela de Ciegos...

—¿Dice usted que lo abandonó su mamá siendo usted ciego y muy chiquito?...

—¡Ah!, ¡pero yo la perdoné, al hacer mi primera... y única comunión!

Un nuevo silencio interrumpió la charla a media voz; Santa llegó hasta la vidriera del balcón y estrujó las cortinas, Hipólito volvió a cerrar sus ojos blanquizcos, apretándolos más sin advertirlo.

—¡Hipo!, por tu madre, toca algo, que naiden se ha muerto —prorrumpió la *Gaditana*, malhumorada porque los "solitarios" que tiraba de la baraja salíanle adversos.

Hipólito preludió un vals.

—¿Cuántos tenía usted cuando se separaron? ¿No se acuerda usted? —le preguntó Santa, por encima del hombro.

—Seis o siete a lo más, todavía lloraba mucho, por cualquier cosa...

La primera parte del vals brotó de las manos del ciego, acompasada y voluptuosa.

—¿Y dónde fue la separación, Hipo?

—Verá usted. Como además de ser chico era yo ciego, no me apartaba de mi madre ni para jugar ni para comer... Sentábame en su regazo, y la comida me la ponía en la boca anunciándome antes lo que iba a comer... Yo, claro, muy torpe, por chiquillo y por ciego, derramaba la sopa, el agua... a veces, mordía el aire equivocando las direcciones, y ella, supongo yo que lloraba, pero tan quedo que no me lo parecía, y le preguntaba qué eran unas gotas tibias que sentía resbalar por mis cachetes... tardaba en responderme, y las gotas dale que dale, mojándome la cara, hasta que a mí me invadía una tristeza tan grande, Santita, que dejaba de comer y en mi media lengua, ¡lo recuerdo perfectamente!, la interrogaba en forma, anhelando conocer algo más que su voz y sus lágrimas... "¡Dime, mamacita —le decía—, dime cómo eres tú y cómo soy yo!"

Santa, con los ojos muy brillantes, se sonó con estrépito sin chistar palabra.

La segunda parte del vals, mucho más alegre y ligera que la anterior, se escapaba de los amarillentos dedos de Hipólito, que la perseguía por entre las teclas enlutadas y blancas del piano.

—Un día —continuó el músico— mi madre me besó muchísimo, mucho más que de ordinario, y mudándome de limpio cargó conmigo... Sollozaba tanto que me asustó y me abracé a su cuello, en su hombro escondí mi cabeza y pegando mis labios a su oído le pregunté a dónde me llevaba...

—"Voy a llevarte a un colegio, para que aprendiera varias cosas y para..." No pudo seguir, me abrazó más de lo que yo la abrazaba a ella, y su llanto, que ya no trató de disimular, me empapaba el rostro... Y si viera usted, Santita, sentí lo mismo que si por dentro se me rompiera algo, una sensación desconocida, de dolor y de miedo...

—¿Y no viviré junto a ti? —averigüe aterrado.

—No —suspiró—, pero iré a visitarte dos veces a la semana y te llevaré juguetes y dinero para que compres dulces...

—Entonces, ya no me quieres —le repuse—, y ya no podré andar ni comer, porque careceré de tus manos y las mías no me sirven... —y también yo me eché a llorar, y a falta de ojos con qué mirarla, olía yo a mi madre, la respiraba como un perrito, para despedirme... Me rogó que me callara...

—"Cállate, por Dios, criatura, que te oye la gente..." ¡Y ella, se lo juro a usted, ella lloraba más que yo...! Anda y anda al fin nos detuvimos en la Escuela de Ciegos... A besos me enjugó mis ojos sin vista y apoyándose, calculo que en la pared, murmuró: "¡Aquí si supieras por qué te traigo... si supieras... me absolverías!..."

Santa temblaba. Una de sus compañeras mandó traer un ponche de ron, bien cargado y bien caliente. La tercera

parte del vals, lenta, desfallecida, melancólica, se esparció
por los ámbitos de la sala del prostíbulo.

—¿Y después? —interrogó Santa, contemplando tonta-
mente por la tapa abierta superior del piano cómo los mar-
tinetes golpeaban las cuerdas metálicas..

—Nada, que en el colegio aprendí a leer, pero no crea
que en libros, yo aprendí a leer con los dedos... sí, con los
dedos pasándolos sobre unas letras de relieve. Aprendí a
tocar piano y aprendí a sufrir, porque antes, ni con mi ceguera sufría; la vecindad de mi madre, su voz, sus caricias
me representaban el universo. Si es cierto que yo no veía,
ella veía por mí, ¿qué mejor?... A su modo me explicaba
las cosas, los animales, las personas; me hablaba de colores, me describía las flores, el campo, ¡hasta las nubes!...
¡Qué digo las nubes, hasta el mismísimo sol!... Por ella sé
que es azul el cielo y verde el campo; y aunque ignoro lo que
es azul y lo que es verde, acá en mi cabeza me he fabricado
mi paleta y cuanto yo considero se me figura que lo considero más bello de lo que es en realidad... como que al ima-
ginármelo revivo a mi madre, que fue para mí, y seguirá
siéndolo, más linda, pero mucho más linda que el cielo
azul y que el campo verde y que el mundo entero. Y repa-
re usted en que mi madre me visitó apenas; durante las
primeras cuatro o cinco semanas de mi cautiverio, ahí estaba, tempranito, todos los jueves y domingos, cargada de
golosinas, de lágrimas y de cariño que por igual me repartía. Contábale yo, cuando de llorar nos cansábamos, mis
progresos en la lectura, en la música y en la pasamanería;
escuchábame ella apretándome contra su seno, del que con
sacrificio inmenso me desprendía la campana que ponía
término a la visita... De repente, faltó un domingo y un
jueves y otro domingo, ¡con qué ansia la esperé, Santita!,
sentado en un rincón del patio, el más solitario, para que
ni el eco de lo que charlaban y reían mis compañeros con
sus familias, aumentasen mi pena... Era yo inocente a un

grado, que me propuse guardar en mi pañuelo aquel mi llanto, con objeto de que a ella, al tocarlo y sentirle mojado, no le quedara duda de lo que la idolatraba; pero, ¡calcule usted!, el llanto que guárdase se evaporó —todos los llantos se evaporan—, pregúntele usted a uno que sepa de esto... Yo, lo que creo, es que nuestros dolores también se evaporan.

... La *coda* del vals se extendió rítmica y quedamente en el teclado; la moza del ponche apuraba éste a pequeños sorbos, y Pepa, la "encargada", recontaba sobre su falda un fajo de billetes de banco. Santa dibujaba con un dedo figuras extrañas en el polvo finísimo que cubría la tapa superior del piano.

—Luego —insistió Hipólito—, hasta que no ajusté catorce años, una vida incolora, o negra, como dicen ustedes los que ven; muy educados mis cuatro sentidos, el tacto principalmente; muy encallecido el corazón, acostumbrándose a latir y no por querer —¿querer a quién, si nadie me quería a mí?...— En la memoria, mi madre; en la mano, un bastón que a fuerza de guiarme y defenderme, llegué a considerar mi amigo único; hacia atrás, todo negro; hacia adelante todo negro; inválido, miserable, pobre, sin ilusiones, sin esperanzas, sin cariño; condenado a perpetua cárcel, ya en la escuela, ya en un asilo, o a morirme de hambre si pretendía valerme a mí mismo... a menos que un alma caritativa no me sacara del colegio y me llevara consigo, para utilizar mis conocimientos de pasamanero o de músico. Y así sucedió; un señor, Primitivo Aldábez, dueño de una tapicería de barrio, dolido de mi ceguera y asombrado de mi maestría en obra de pasamanos, llenó los requisitos de ley y me sacó del colegio, previo consentimiento mío que sin titubear otorgué, ansioso de variar de rumbo...

—¡Gracias a Dios! —exclamó Santa, cual si se librase de un gran peso.

—No muchas, Santita; no muchas; porque al poco tiempo...

Y a la par que el vals, de retorno a su primera parte, moría y era sepultado en las teclas por las manos de Hipólito, acentuando los compases finales, dejóse caer en la casa una nube de visitantes; con lo que el pianista reservó para mejor ocasión lo que de su autobiografía faltaba, y Santa, aunque en curiosidad ardía, tuvo que ir a agasajar a los recién venidos. La sala despertó.

De la noche ésta databa la amistad de Hipólito y de Santa, la dedicatoria de las tres danzas: *Bienvenida*, *Te esperaba*, y *Si te miran*... con las que aumentó la reputación del pianista y la simpatía de Santa; el palique diario; las consultas de ella y los consejos de él. Por lo que cuando se presentó en escena el primer enamorado serio de Santa, aquel señor Rubio de apellido y de cabello, que las demás mujeres del establecimiento habrían apetecido para sí, nadie se interiorizó de la ocurrencia antes que Hipólito.

—Hipo —le dijo Santa—, Rubio me ofrece ponerme casa si yo me "comprometo" con él, ¿qué me aconseja usted?

¡Caramba, con el temblor nervioso que a duras penas pudo dominar el filarmónico al oír el secreto!

—Pues, Santita, ahí sí que no caben consejos... ¿Usted lo quiere?

—Es un caballero muy fino, Hipo, a usted le consta cómo me trata delante de la gente. ¡Si viera usted cómo me trata a solas!

—Y yo qué diantre tengo que ver, si soy ciego y casi me alegro de serlo, es decir, que me alegro... ¿usted lo quiere Santita?

—¡Querer!, ¡querer!... ¡Hay muchos modos de querer... aunque mueva usted la cabeza, muchos, muchísimos!

—Bueno, entonces márchese usted con él, que al fin y al cabo con alguien había de ser, es lo infalible.

—¿El qué es lo infalible?

—Eso, el apartamiento del burdel. Sólo que el burdel es como el aguardiente y como la cárcel y como el hospital; el trabajo está en probarlos, que después de probarlos, ni quién nos borre la afición que les cobramos, la atracción que en sus devotos ejercen... Usted regresará a esta casa, Santita, o a otra peor... Ojalá y no, no se incomode usted, que le deseo lo contrario, pero en ocasiones, no sabe uno... ¿Por qué no aguarda usted unos meses más? Lejos de perder, quizá, gane, y si el señor Rubio desespera y vuelve las espaldas, probará que únicamente sentía un capricho por usted. ¡El que de veras ama, nunca se cansa de aguardar! Además, hoy por hoy, ¿qué necesita usted? Salud le sobra, le sobran marchantes, buenos modos de Elvira y de Pepa, aprovéchese usted, hágase pagar a peso de oro, y siga la rueda.

Lo que siguió, por lo pronto, fue la cátedra del pervertido de Hipo que, compenetrado con el falso criterio dominante en el mundo en que actuaba, predicaba las peores atrocidades con una inverecundia mayúscula. Y siendo cual era una entidad moral superior a la de Santa, la sugestionó a un punto que el tal Rubio, no obstante el sinnúmero de circunstancias que en su favor militaban, hubo de avenirse con lo que la chica quiso concederle; preferencias manifiestas en público; dos noches íntegras en cada semana, desde temprano, con teatro y cena; el remedo de una mancebía tan frecuente entre esas mujeres, cuando están de moda, y los hombres todos cuando ya no lo están, Hipólito, a guisa de oculto consuelo, dirigía la comedia; y por oculto, no pudo destruir, también, las redes que mañosamente venía tendiendo a Santa el afamado y valiente *Jarameño*, matador de toros de cartel, contratado en la propia península y que domingo a domingo causaba las delicias de los aficionados mexicanos en la plaza de Bucareli. Por su largueza en el gastar y por su gracejo en el decir, fue admitido en la casa de Elvira, que no abrigaba mucha devoción que se diga hacia la gente de coleta.

—Pegan y no pagan —solía decir a sus educandas, que se bebían los vientos por ellos a causa de defectos tales—, y lo que es peor, ahuyentan señoritos.

Con el *Jarameño* los sucesos pasaron de manera diversa. En primer lugar, lo llevaron a la casa los señoritos de más viso; en segundo, él trató los pesos duros a modo de granos de anís y a las muchachas todas a modo de pesos duros; gastó al igual de sus encopetados amigos, propinó sirvientes, gratificó al pianista, y cuando se adueñó de la guitarra, entonces sí que la victoria se consumó y que las mozas, españolas en su mayoría, batieron palmas y lo premiaron con besos, más encaminados a acariciar la tierruca perdida que a enamorar a aquel paisano de afeitado rostro macareno. El *Jarameño* fijóse desde luego en Santa, porque no sólo valía la pena, sino porque era la solicitada de los niños finos; un relámpago de deseo, que hizo hervir su sangre árabe de vencedor de hembras.

—¿Diga usted, salecita del mundo —le preguntó con exagerado cecear andaluz—, usté no tiene cortejo?...

Y mientras respondíale, la sujetó por una muñeca con garra de hombre fuerte, pero sin lastimarla, al contrario, acariciándola con esa misma fuerza que se mostraba apenas y prometía un apoyo hercúleo, primitivo, bestial. La miró fijamente, con fijeza de hipnotizador, hasta que Santa, subyugada por esa voluntad, lo miró también, turbadísima, a pesar de la risa fingida a que apeló para responderle:

—¿Y a usted qué le importa, hombre, que yo tenga lo que tenga? ¿Qué es eso de cortejo?...

Soltóla el *Jarameño* sin enojos ni ira, así como quien suelta delicado trasto ajeno que de lejos nos gusta y de cerca nos desagrada; cogió de nuevo la guitarra, y entre cañas y palmas, "se arrancó por lo hondo" con el melancólico repertorio flamenco:

> *Dos cosas hay en el mundo*
> *que la vida costar pueden...*

Herida Santa en su vanidad por el mal disimulado desvío del torero, que no volvió a parar mientes en ella; impulsada por repentina antipatía, esmeróse en prodigar a los señoritos que se la disputaban, halagos y mimos; se sentó encima de éste, bebió en la copa de aquél, consintió en que la descalzara el de más allá, rompió una botella aún sin descorchar, y haciendo mil visajes, le pegó dos chupadas al puro de otro. La "juerga" subía de punto. Exigióse que Hipólito tocara para ellos solos en el saloncito privado que ocupaban, y se nombró una comisión de dos miembros, bastante chispos por cierto, que fueron y obligaron a Elvira a dejar su encierro impenetrable de señora y dueña de harem, y apurar en su buen amor y compañía de un vaso de lo que le diese la gana. Alguien propuso, en medio del desorden progresivo, un paseo para el día siguiente, en carruajes de alquiler y en unión de las muchachas.

—Elvira no se opondrá, se los garantizo a ustedes, y llevaremos al *Jarameño*, ¿quieres oír el grito con nosotros?

—¿Qué grito, *gachó*?, ¿vamos a gritar mañana más de lo que estamos gritando ahora?...

Con hipos, risotadas e ignorancias se le explicó el logogrifo; no se hablaba de un grito cualquiera, hablábase de uno especial y único con que el pueblo conmemoraba su independencia.

—Es el grito con que los echamos a ustedes, los gachupines —terció el pianista, agresivo.

—¿Y cuándo nos han echado a nosotros de ninguna parte? —replicó orgulloso el *Jarameño*.

—¿Cómo cuándo...? Cuando los echamos de México hace años —sentenció el sabihondo de los calaveras.

—¿Sí?... pues yo no oigo esos gritos, ¡qué corcho!, contármelo vosotros después...

—*Jarameño*, ¡qué te pones tonto!, ¿vas a reñir por vejeces, bárbaro? Son cosas que pasan y sanseacabó. Ya todos somos uno, y ustedes aquí, más, ¿quién te ha maltratado?, ¿no ganas aplausos y dinero?, ¿no miras miles y miles de compatriotas tuyos que ni a tiros se marcharían, de lo contentos que se hallan?...

—¡No, lo que es de ser cierto, sí que lo es... ea!, dispensar y contar conmigo mañana. ¡A ver, patrona, manzanilla que un español convida a beber por España!

Se apaciguaron los ánimos, se gritó y se pateó. Hipo, con objeto de imprimir carácter al general avenimiento preludió la marcha torera de *La Giralda*, la que, sin embargo, no obtuvo mayoría de sufragios y hubo que apelar a la clásica de *Cádiz*, coreada hasta por Elvira y sus pupilas.

¡Viva España!
Que vivan los valientes...

El *Jarameño* cubrió la boca de la caña con la palma de la mano, golpeóse el pecho con ella, trocando el líquido en millones de burbujas de oro, y se la alargó a Santa:

—¡Beba usté por mi tierra, gloria morena que yo voy a beber por usté y por la suya!

El proyectado paseo acabó de tomar forma, pagándose previamente a Elvira la ausencia de las chicas que lo aceptaron; fijóse el número de simones destinados a alojar, cada uno, dos parejas; los más beodos determinaron pernoctar desde esa misma noche, y el *Jarameño*, muy del brazo de un marido que no estimaba cuerdo reintegrarse al tálamo cuando ya la luz era salida, se despidió de la concurrencia. ¿Qué instinto guió a Santa a acompañarlo hasta la puerta de la calle?... El "diestro", sin desasirse del casado precavido, pidióle un beso que no le negaron.

—¿Qué noche dormirás conmigo, Santa? —le preguntó al oído, serio.

—¿Contigo?... ¡Nunca! —repuso Santa así que lo reflexionó.

—¿Tanto me aborreces?

—Ni tanto ni nada, pero te tengo miedo.

El ciego Hipólito, que salía detrás y escuchó la declaración de Santa, no pudo reprimirse:

— La felicito a usted por su conquista, Santita —sentenció en sarcástico tono, a la par que con la contera de su bastón despertaba a su lazarillo, acurrucado en el sitio de costumbre—, no vale hombre ninguno lo que el último de estos individuos de trenza...

Muy a mal tomó Santa el desahogo del músico, cual si éste tuviese derechos adquiridos y la hubiera sorprendido en flagrante delito de infidelidad. ¿Por qué echarle en cara lo de la conquista del *Jarameño,* cuyas propuestas había rechazado y que de veras le inspiraba miedo?... De otra parte, ¿dónde estaban los derechos de Hipólito?... ¡Lo que es ella no habíale otorgado ninguno, y ahora menos! Ya que era esclava de todo el mundo, ya que no se pertenecía, defendería su corazón —en el dudoso caso que algo le quedara de él— y que se conformaran con su cuerpo magnífico, resistente, desnudo de ropas y desnudo de afectos; que en él saciara el público su lascivia inmensa, feroz, implacable; que unos se lo bendijeran y besaran, y otros se lo magullaran y maldijeran... pero que le dejasen el corazón, las lágrimas, los recuerdos, lo que llevaba escondido por dentro y que le rebullía cuando como esa noche excedíase en beber... Y en cuanto a Hipólito y el *Jarameño,* a éstos ni su cuerpo que se alquilaba, y así le ofrecieran pagarle doble o triple, no, a ningún precio: a Hipólito, porque de pura lástima podía quererlo, y al *Jarameño,* porque de miedo queríalo ya. Y oprimiéndose el pecho con entrambas manos, para no regar por el suelo con el inseguro andar de la borrachera sus lágrimas escondidas, sus escondidos recuerdos y su escondido corazón, volvió a subir las escaleras, torpemente, y torpemente bebió más, dejándose conducir a su perfumado cubículo de bacante, por uno de aquellos señoritos que olía a vino, le estrujaba el seno y le tartamudeaba galanterías obscenas.

Tristón y metido en nubes amaneció aquel 15 de septiembre, por lo que Santa y su parroquiano despertaron —cerca del mediodía— calculando que el anunciado paseo nocturno no se llevaría a cabo, a causa de la lluvia amenazante. Y frente a la tremenda perspectiva de pasar juntos tantas horas, sin una miaja de estimación o de amor que la hiciese caminar de prisa, no escondieron su fastidio, antes mostráronlo a las claras; él, desperezándose y revolviéndose bajo las sábanas tibias, ajadas y malolientes, y Santa, registrando un cajón de su cómoda, segura de no descubrir nada, supuesto que nada buscaba. Hablábanse poco, sólo lo indispensable para zaherirse con pullas o embozadas injurias, como si después de una noche de compradas caricias hubiesen recordado de súbito que, exceptuando la lujuria apaciguada de él, no existía entre ellos más que el eterno odio que, en el fondo, separa a los sexos. Una mutua repugnancia subía a sus ojos, salía con sus palabras; los dos paladeaban el nauseabundo dejo del alcohol y del placer venal que nos deprimen y abochornan en cuanto sus efectos se desvanecen. Y si a Santa —cuyo camisón resbalándose aquí y allí, puso al descubierto fragmentos de su cuerpo trigueño— no le importaba que su enamorado de unos momentos la contemplase o no, ni mucho menos trataba de excitarlo, la verdad es que el prójimo tampoco miraba siquiera, y ahíto de esa carne que todo el mundo saboreaba, volvióse del lado de la ventana y al través de sus visillos miró hacia las nubes.

—Si me obsequias con un café —exclamó al fin—, te convido a almorzar en el Tívoli.

Santa reprobó la idea, tenía que bañarse, que ir a la casa de la modista.

—Ve tú con algún amigo, y por la noche nos reuniremos. ¡Anda, que se te quite la pereza, levántate!

En un periquete se alistó el cliente, que no supo sentirse libre a tan poca costa, y de despedida besó y abrazó a Santa, que pasivamente se prestó a ello.

Luego, a solas ya, abrió la ventana, echóse un chal en las espaldas y se sentó en el canapé cruzando las piernas y balanceando la que le quedaba con un pie en alto.

¡Siempre igual!... Siempre estos despertares helados, desconsoladores, espantosos, en los que a una protestaban su cuerpo cansado y algo que sin ser su cuerpo lo parecía, porque en los interiores de éste se le quejaba... Siempre estos desencantos y este asco de continuar la misma vida fatigante e insípida, a las veces cruel, obligándole a compartir el placer genésico con quien menos lo apetecía... Siempre estas ráfagas de arrepentimiento al despertar únicamente, y después, en el curso del día, una lenta connaturalización con esa propia vida, un convencimiento de que ya jamás podía aspirar a otra..., hasta cierta desgana de intentarlo, una conformidad fisiológica de concluir en ella... ¡Vaya, tonterías y sólo tonterías...! Con algún tiempo más, sería como sus compañeras, lo que hacíale falta para endulzarla era un *querido,* pero un querido que quisiera...

Y en rápida revista mental consideró la legión de hombres que le habían jurado amores, ¿por qué el *Jarameño* triunfaba si acababa de conocerlo?, ¿por qué Rubio "el caballero decente" que le prometía casa, también la atraía?

Puntuales cual acreedores y en compañía del *Jarameño,* a la hora fijada, presentáronse en el antro los organizadores del paseo, y a la par suya estacionáronse al borde de la acera, por su cuenta y orden, cuatro simones de bandera amarilla, de los que el público ha bautizado de "calandrias".

¡La gresca que se armó en la vivienda! Ahora todas pedían ser de la alegre partida, y se bromeó, se ajustaron onerosos contratos, se aumentó la caravana y se hizo venir otra calandria que resultó desvencijada, mugrienta, gemidora, y con un par de sardinas que ni para el redondel servían —según autorizado dictamen del *Jarameño.*

Partieron los carruajes en línea recta y uno tras otro, cuando la iluminación de la ciudad comenzaba. Desde que desembocaron en la ancha avenida Juárez, divisaron las calles de San Francisco y Plateros rebosantes de luz, sin transitar de vehículos, insuficientes para encauzar entre sus dos aceras aquel encrespado y movedizo mar de gente que se encaminaba a la Plaza de Armas. Avanzaban los coches paso a paso, y al llegar a la esquina de Puente de San Francisco, la impenetrabilidad de la masa y la prohibición de los gendarmes a caballo, que impedían seguir adelante, los forzó a detenerse y consultarse respecto de la ruta que habrían de adoptar. Santa —del pueblo al fin— opinó por una caminata a pie, confundidos con la turba que casi rebosaba de las aceras y del arroyo; pero sus compañeras, españolas, atemorizadas frente al monstruo —cuyos coloquios, silbidos, exclamaciones, gritos y risas eran la perfecta imagen de un huracán—, se opusieron decididamente, mejor renunciaban al paseo. Los hombres tampoco aprobaron la idea, pues no les halagaba ir desde luego a la Plaza, y empaquetados dentro de los incómodos simones aguantar el concierto de todas las bandas militares de la guarnición reunidas, y toca que toca de las nueve a las once. Mejor cenar, aprisita, y después de la cena, al Grito.

—¡Café de París, tú! —ordenaron al cochero de la calandria que encabezaba el séquito.

Las calles de la Independencia, a las que salieron luego de cruzar el callejón de López, también alimentaban su océano, con agravamientos de tranvías y carruajes, que a modo de pequeños barcos sin timón, circulaban trabajosamente, ora con pausas o detenciones que eran saludadas con la algazara de sus tripulantes, ora con repetidas embestidas que hendían las olas y abrían un surco borrado al minuto por el flujo y reflujo de la multitud que los silbaba amenazadora, agresiva, con manifiestas ganas de armar bronca.

—¡Fuera coches!... ¡Abajo los *rotos*!...

Sólo los tranvías —atestados de pasajeros, de linternas de colores y de ruido metálico— cruzaban ese mediterráneo, con imponente majestad de acorazados, implacable y derechamente; el cuerno del mayoral sembrando alarma con su ronco berrear entrecortado, y el cascabeleo de las mulas suministrando gratis una nota alegre y juguetona. Por la atmósfera, matrimoniados y naturalizándose, acres olores de muchedumbre, resinosos aromas de fogata y una brisa tibia, que purificaba el aire, agitaba banderas, colgaduras y faroles y apresurada barría las nubes, allá arriba, poniendo al descubierto un cielo estrellado, voluntario contribuyente con todos sus astros a la patriótica iluminación de la vieja ciudad americana.

Al fin dieron con sus cuerpos en un gabinete alto del Café París, donde por tradición de calaveras profesionales mandaron preparar una cena de mariscos, que las mozas, por ser quienes eran, creyéronse obligadas a gustar aunque no fuesen partidarias de cangrejos, camarones y demás bichos tan incómodos para desmenuzarlos y tan ingratos para sus paladares poco educados de hembras ordinarias y en el fondo zafias. El *Jarameño* pidió costillas y una ensalada.

El murmullo de la calle iba creciendo conforme la gente iba llenando la amplia Plaza de Armas. Ahora los carruajes pasaban más a menudo por debajo de los abiertos balcones del restaurante, a los que de tiempo en tiempo se asomaban los comensales a columbrar la plaza, que ardía como una hoguera.

De improviso, se oyó estallar una bomba, siguió un ¡aah!, formidable, lanzado por la turbamulta, y el concierto-monstruo principió. En la mesa servían el asado y destapaban el Pommery, con lo que se animaron hasta hablar de patria, sin estar muy seguro nadie del verdadero significado de esta abstracción. Resultaba irrespetuosa la charla dentro de aquel gabinete vulgar de comedero a la moda.

No se ponían de acuerdo, traían y llevaban definiciones aprendidas desde el colegio, nociones falsas, escuchadas o leídas en alguna parte olvidada. Hubo sus brindis románticos, a la hora de las cremas: ¡todo por la patria! Los hubo también escépticos, de espíritus fuertes que visten frac, ¿la patria?... ¡Peuh!, ¡nuestro portal de Mercaderes o el ferrocarril aéreo de Nueva York, lo mismo es!

—¿O no, *Jarameño*, tú que opinas?... ¿Es tu patria España o el mundo entero?...

Las mujeres, muy graves, se aburrían. De la vecina plaza de Armas desprendíanse, y por los balcones se entraban, intermitentemente, erráticas armonías incompletas del concierto y un formidable rumor del respirar del auditorio.

—Siempre España, ¡mire usted qué cosa! Pero sin islas ni ultramares... y tampoco España entera, que ni conozco. Mi patria es —continuó el *Jarameño* contando con los dedos— mi Andalucía; mi cortijo, la tumba de mis viejos, que de Dios hayan; y la ventana con claveles y geranios que guarda unos ojazos y un corazoncito que yo me sé... ¡Eso sí es mi patria!

Con aplausos y más Pommery helado se acogió la pintoresca y primitiva definición del *Jarameño*, que a hurtadillas y simulando interés grandísimo en que la ceniza de su cigarro cayera en los asientos de café que ennegrecían el fondo de su taza, con mayor interés atisbaba en el pensativo rostro de Santa los efectos de su arranque. Y los ojos de ambos se encontraron y, como siempre, los de él quedaron dueños del campo y los de ella huyeron.

Previa consulta de relojes se pidió la cuenta, que fue cubierta con alardes exagerados de desprendimiento, con mucho meter y sacar de carteras abultadas de billetes, y mucho afán de ser cada cual el único pagador. El *Jarameño* ofreció decididamente su brazo a Santa.

— Usté se viene conmigo, serranita, y luego de eso de los gritos se marcha usté con quien le dé la gana y yo lo propio, ¿se acepta?...

Los tumbos del simón acabaron por aproximarlos y mantenerlos en continuo y confianzudo contacto del que no les era fácil escapar, pues a poco se repetía y empeoraba. Optaron por conservar la primera postura, no dándose por entendidos de que se tocaban, palpando ella las durezas de los músculos de acero de él y él las morbideces de la muchacha. El fuego de los cigarrillos, que a intervalos brillaba dentro de la oscura calandria, parecía el de otros tantos insectos luminosos que no atinaran a salir por las portezuelas y giraran desesperados y al cabo se precipitaran hacia abajo.

Los aurigas aprovecharon para penetrar el oleaje que henchía la plaza, la llegada del Gremio de Cargadores y el desfile del Cuerpo de Bomberos en correcta formación, de cuatro en fondo, con banderas, estandartes y antorchas que imitaban cabelleras de furias, según lo que sacudían las ígneas testas y el reguero de chispas que en los aires se retorcían y por los aires morían y volaban. Pulgada a pulgada realizábase el avance de los carruajes, hasta una cierta profundidad que fue materialmente imposible trasponer. Mas desde ahí, desde el forzoso anclaje, abarcaron el gran cuadro: En el centro, el jardín colgado de faroles, con su quiosco central echando más luz eléctrica que fanal al que se le hubiesen roto los cristales exteriores; luego, en la calleja de árboles que a Palacio conduce, más farolillos a manera de guirnaldas. Palacio severo, irregular, enorme, disfrazando la fealdad de su fachada con los cortinajes de sus balcones y el sinnúmero de bombas de cristal en los barandales de éstos, que defienden de los embates de la brisa a una cantidad igual de mecheros de gas hidrógeno. Asomadas a los mismos balcones, cabezas de hombres, descubiertas y entremezcladas a cabecitas femeninas con

sombreros de paja que se acercan y separan, en las alter-
nativas de los diálogos que no alcanzan a escucharse, cual
si los pájaros disecados quisieran volar y las plumas perderse y las flores de trapo ir y alfombrar el empedrado
que patea la plebe. Son los balcones del célebre Salón de
Embajadores, radiante, hecho una ascua, arrojando por los
vanos los raudales de luz que le sobra; y las cabezas que
en ellos asoman son las de los privilegiados que disfrutan
cómodamente de la fiesta, por invitación especial de los
miembros del gobierno.

¡Sólo el balcón del medio, el histórico, el de barandal de
bronce, aunque también abierto en tinieblas. Encima de él,
el reloj palatino, de muestra transparente, marca las diez y
tres cuartos, y encima del reloj, muy alta, el asta de bandera con el pabellón nacional asido a ella, ondeando soberbio en la noche constelada!... Abajo, en un claro, hileras de
sillas ocupadas por señoras y caballeros, el templete para
la gigantesca orquesta militar. A la izquierda, con sus instrumentos en el suelo, tendidas las bandas de tambores y
cornetas.

—¡Córcholis! —declaró el *Jarameño*, con medio cuerpo
fuera del coche—, esto está superior.

A espaldas del carruaje, los portales de Mercaderes
truncos y asimétricos por el Centro Mercantil, terminado
casi, y que en los pisos concluidos ya, ha derrochado las
lámparas incandescentes. A la diestra la vetusta casa de
ayuntamiento, la "Diputación", también encortinada y
alumbradísima, sin lograr borrarse las arrugas y el sombrío aspecto que le prestan los años, maciza, ingrata,
anacrónica. A su frente —limitando al norte la extensa plaza—, la Metropolitana, monumental, eterna, imponente;
erguidas sus torres, grises sus muros, valiente cúpula, formidable en su conjunto de coloso de piedra, inconmovible
al que no arredran ni el tiempo ni los odios, luce igualmente faroles y colgaduras, todo arcaico, a la antigua todo,

los faroles de aceite, las colgaduras desteñidas, venerables, olientes a incienso, ¡con quién sabe cuántos lustros a cuestas! A su lado, el sagrario en su perpetuo y desgraciado papel de pegote churrigueresco.

Por dondequiera, vendimias, lumbradas, chirriar de frutos, desmayado olor de frutas, ecos de canciones, fragmentos de discursos, arpegios de guitarra, lloro de criaturas, vagar de carcajadas, siniestro aleteo de juramentos y venablos; el hedor de la muchedumbre, más pronunciado; principio de riñas y final de reconciliaciones; ni un solo hueco, una amenazante quietud; el rebaño humano apiñado, magullándose, pateando en un mismo sitio, ansioso de que llegue el instante en que vitorea su independencia...

De pronto, un estremecimiento encrespa todavía más aquella mole intranquila. Luego, un silencio que por lo universal asusta y emociona, uno de esos silencios precursores de algo extraordinario. Diríase que hasta lo inanimado se reconcentra y recoge. Compenetradas las cien mil almas que inundaban la Plaza, parecen no formar sino una sola. ¡Todos callan, todo calla!... Todos miran el reloj del Palacio, suspendida la respiración, clavados los ojos en la diáfana muestra de la impasible maquinaria, latiendo presurosos todos los corazones en todos los pechos...

Y pausadamente, el reloj de Palacio y el de Catedral rompen juntos ese silencio; primero con cuatro campanadas lentas —los cuatro cuartos de la hora—, después con once, que nacen con idéntica lentitud mecánica. No bien han nacido, cuando, todo a un tiempo, se enciende el balcón histórico, el de barandal de bronce, y dentro de un óvalo de rayos eléctricos, surge el Presidente de la República, símbolo en medio a tanta claridad, sin otras divisas que la banda tricolor que le cruza el pecho y lo convierte en el ungido de un pueblo. Con noble gesto coge la cuerda pendiente de la esquila parroquial que atesora Palacio,

la hace sonar una vez, dos veces, y ella suena maravillo-
samente, como ha de haber sonado, allá en Dolores, cuando despertó a los que nos dieron vida en cambio de su
muerte.

Cae de Catedral tupida lluvia de oro, sus campanas re-
pican a vuelo. Atruenan los aires millares de cohetes, las
bandas ejecutan nuestro himno, el canto nacional; en la
lejana Ciudadela, disparan los cañones la salva de honor;
los astros en el cielo, miran a la Tierra y parpadean, cual si
fuesen a verter lágrimas siderales, conmovidos ante el espectáculo de un pueblo delirante de amor a su terruño,
que una noche en cada año cree en sí, recuerda que es soberano y fuerte.

Hay madres que han levantado a sus hijos por encima
de la multitud y en alto sostienen, como una ofrenda, como
una restitución de sangre que nada más a la Patria perte-
nece.

Y de todos los labios y de todas las almas brota un grito
estentóreo, solemne, que es promesa y es amenaza, que es
rugido, que es halago, que es arrullo, que es epinicio:

—¡Viva México!

El mar se desborda, anega calles y avenidas, tras de las
bandas que van tocando diana; se forman grupos apretados; cualquiera abraza a su vecino —a reserva de reñir y
matarse a poco, en cuanto el alcohol entenebrezca las con-
ciencias y ahogue ese rapto de confraternidad—; en una
botella beben muchas bocas; en las esquinas se baila al compás de organillos que carecen de compás; en los umbrales
de las puertas se cena en familia, y con un pie apoyado en
las molduras de madera del frente de alguna tienda cerrada, un tenor callejero, rodeado de sus "valedores", rasguea
en su guitarra...

Los carruajes principian a moverse en pos de la gente.
En el que conduce a Santa, a *Jarameño* y a la otra pareja,
nadie chista, ni fuma, ni ríe... reflexionan.

Santa, muy por bajo, llora; probablemente su sensibilidad de mujer ha vibrado demasiado.

—¿Por qué llora usté, gitana? —le pregunta el *Jarameño*, agachándose.

Santa, que no puede hablar, señala todo aquello: la plaza, lo que en la plaza ha sucedido, lo que vaga aún en la atmósfera y en los espíritus...

Enseguida, rodea con sus brazos el fornido cuello del torero, acerca su cabeza y, entre sollozos, murmura:

—Usted nos dijo que era su patria una ventana con geranios y claveles, ¿verdad?... Pues usted es más feliz que yo, que hallándome en la mía, ni siquiera mía debo llamarla... Mi patria, hoy por hoy, es la casa de Elvira, mañana será otra, ¿quién lo sabe?... Y yo... seré siempre una...

Y la palabra horrenda, el estigma, la deletreó en la ventanilla de la calandria, hacia afuera, como si escupiese algo que le hiciera daño.

Capítulo IV

Quite usted a los camareros, muy habituados al tumulto de la casa, y sólo un valiente de profesión habríase atrevido a cruzar por entre las mesillas rodeadas de parroquianos o por entre los grupos de éstos, cuando, faltos de asiento, apuran sus bebistrajos frente al mostrador y en los huecos disponibles de las tres piezas que componen el restaurante y cantina del Tívoli Central, por mil títulos afamado establecimiento nocturno y pecador. Sobre que no nada más en él se cena y se bebe, no señor, también se baila y se riñe, y hasta se mata... De día, mírasele desierto, con un cliente que otro empeñado en comer lo que le sirvan de mala gana en los gabinetes aún con tufo de alcoholes vertidos, de humo de tabaco que no ha tenido tiempo de desprenderse de techos y paredes, y de un sutilísimo vagar de perfume desmayado y delator de que por ahí pasó una mujer o han pasado varias, ¿cuántas?... ¿con quién?... El perfume aquel percíbese apenas; el foco de luz incandescente que pende del techo y leve oscila a causa de las miríadas de moscas en su cordón y en su bombilla tienen domicilio sin cesar invadido y abandonado; los muros, con su papel rasguñado a trechos, sucio y marchito; la mesa, manchada, y las sillas mancas e inseguras, todo calla, naturalmente, todo oculta lo acaecido la víspera, lo que acaecerá esa noche, todo parece dormir pesado sueño orgiástico... Las puertas corredizas de los gabinetes diríase que bostezan; que bosteza el destartalado salón de baile y la cantina espaciosísima; que bosteza el jardín de flores mustias y deshojadas, de camellones y arriates pisoteados, cual si por encima de sus matas enlodadas y difuntas hubiese pasado en destructor tropel algún ganado salvaje, que también hubiese apurado el agua de la fuentecilla del centro, cuyo chorro escurridizo y débil más simula lágrimas incontenibles de honda pena desahuciada, y en cuyo líquido sobrante, de color sospechoso, zozobran botellas vacías, colillas de cigarros y puros, en ocasiones, un mechón de cabello, un retrato despedazado, una peineta que allí arrojaron anónimas manos de alguien que padecía de celos y demandaba olvido con ese rapto de despecho iracundo y estéril.

Y el día discurre pesadamente; pesadamente discurre la tarde, y al anochecer, entre dos luces, van las sombras penetrando en el jardín a modo de malechores que de lo alto de los muros se deslizaran para, primero, apiñarse en los rincones y no ser vistas, y luego, reforzadas por las que sin cesar siguen deslizándose y deslizándose, adelantar todas, recostarse en los camellones y arriantes, refugiarse en las copas de los escasos y enclenques árboles del patio, bañarse en la sucia agua de la fuente e invadir el local, victoriosas, amenazantes, hasta que, de súbito, un relámpago las destroza, las desaloja de sus posiciones y las hacina en los ángulos, unas sobre otras, en enorme masa incorpórea y negra. Es el alumbrado eléctrico del establecimiento el autor de la derrota; un potente foco de arco a la mitad del patio, encima de la fuente, como suspendido en los aires; es el sinnúmero de focos incandescentes, de la cantina, y de los gabinetes, cuyos luminosos rayos intranquilos salen al jardín desde ventanas y puertas, en decidida persecución del enemigo. El edificio se despereza por dentro.

Con el arribo de camareros —que en oscurísima covacha depositan sombreros y requieren delantales—; con el arribo del cocinero y ayudantes —que en cocinas y pasadizos se sumergen sin saludar a nadie—, la casa se reanima. Ya el cantinero (un piamontés rubio y blasfemo, gran fabricador de ponches de "catalán") se ha encasquetado su fez rojo, se ha enfundado en almidonada chaqueta y de espaldas al mostrador frente al espejazo y a las baterías de botellas multicolores, recuenta en el registrador automático las fichas que los camareros truecan por dinero. Y éstos, agrupados, realizan el *intercambio*, hacen cálculos con los dedos o con las monedas en la palma de la mano, mientras el de Piamonte apila fichas y vomita *per Bacos* y *porcas miserias* a centenares. Del destartalado salón de baile salen nubes de polvo, carraspeos de escoba y eco sonoro de los bostezos del barrendero que es, además, conserje con habitación en el piso alto, donde figuran los gabinetes reservados para personas de grandísimo viso. Las cocinas exudan incitantes olores y fugaces llamaradas de cuando en cuando, que remedan incendio; y a las puertas exteriores, de par en par abiertas, se les fijaron ya sus rejillas giratorias. Por ahí la calle abalanza sus ruidos: mucho rodar de tranvías y coches, mucho pataleo de caballos, mucho charlar y mucho reír, mucho griterío y mucho voceo de diarios:

—¡*El Tiempo* de mañana!... ¡*El Mundo* de hoy!...

Y la inmensa ciudad lasciva se regocija e ilumina porque una noche más es dueña suya.

En el Tívoli Central dan principio las actividades; sus empleados apercíbense para el rudo batallar que a él los encadena; sus departamentos puéblanse lentamente de consumidores silenciosos y pacíficos a las primeras horas, camorristas y agresivos conforme la noche envejece y por vieja consiente los mayores desmanes. Todavía hasta las doce el movimiento es acompasado, se cena en calma y se bebe despacio. A lo sumo si asoma una mujer cinco minutos, fugada de su cárcel, y va y consuela con apasionado

ósculo y secreteo nervioso al amante gratuito que la esperaba en una mesita apartada, prolongando una económica
"cerveza chica". Y se exigen fidelidades, se pronuncian
juramentos; la mujer recuesta la cabeza en la espalda del
hombre, cerrando los ojos, y el hombre la besa en el misterioso y variable lugar en que lo hizo por la primera vez,
cuando la encadenó; la besa en la nuca o en las pestañas o
en la oreja.

Vuela el tiempo, los cinco minutos expiran y hay que
separarse, que poner término a la escena. Bruscamente, la
mujer se levanta, huye por no delinquir, quedándose ahí,
pegada a ese cuerpo más poderoso que imán, al que desde
la puerta contempla hambrienta de gozarlo y resignada
con no poder hacerlo...

El camarero, un filósofo, se aproxima a enjugar con su
servilleta la cerveza vertida y toma órdenes:

—¿Traigo otra "chica"?

Momentos antes de la una aparecen los músicos, y en
compacta hilera se detienen junto al mostrador sin descui-
dar sus instrumentos respectivos, sus abrigos y paraguas;
algunos plantan encima del mismísimo armatoste las caji-
tas que encierran un violín, una corneta-pistón, y que por
negras e irregulares en su forma, despiertan, al pronto, idea
de ataúdes para fetos contrahechos. El cantinero, que de
memoria sabe lo que ha de servirles, bufa y sonríe prepa-
rándoles su mixto, los insulta en broma, y ellos limítanse a
saludarlo con el apodo que le inventaran por su pésimo
genio y su nacionalidad, y que la clientela ha hecho suyo:

—¿Cómo te va, *Ravioles*?

Los teatros han terminado sus espectáculos y arrojado
de su seno a los espectadores, con mucho de incivil en el
procedimiento. Unos cuantos instantes de espera y, en seguida, a apagar los globos de las salas, a descorrer los telo-
nes que eructan polvo, sombras y hedores extraños de
humedad y de materias indeterminables; a cerrar los pór-

ticos, para que los perezosos, los que retardan la marcha, entiendan que aquello se concluyó. Sale la gente con cierta prisa, antes de que apaguen y cierren; los coches se arremolinan; piafan los animales; gritan los automedontes; silban los "golfos".

Entonces el Tívoli Central se prepara; los camareros frotan los mármoles de la mesas vacías. El cocinero se suelta el mandil, afírmase el gorro y empuña las sartenes; enciéndense las luces de reserva; el rubio piamontés revisa servidores y botellas; ábrese al público la taquilla de boletos: "¡Señoras solas, gratis; caballeros, un peso!", y los músicos tras sus atriles, templan y afinan sus desacordes instrumentos. Del testero de la sala cuelgan un anuncio: "¡Danzón!", y al filo de la una y media —el local ya demasiado concurrido—, el danzón estalla con estrépito de tropical tempestad, los timbales y el pistón haciendo retemblar los vidrios de las ventanas, pugnando por romperlos e ir a enardecer a los transeúntes pacíficos que se detienen y tuercen el rostro, dilatan la nariz y sonríen, conquistados por lo que prometen esas armonías errabundas y lúbricas.

Los gendarmes de vigilancia dentro del salón míranse entre sí, agrio el gesto, y como no pueden prender aquellas notas irreverentes, se atusan los bigotes.

Santa, en pleno periodo de dominio y boga, en pleno periodo triunfal de su carne dura, de su carne joven, de su carne al alcance de cuantos anhelaran probarla, llegaba de las últimas a estos bailes, escoltada por brillante cauda de gomosos, lo más conspicuo del *Sport Club*. No bailaba; sentábase a una mesa rodeada de su corte, disfrutando desde ahí el espectáculo completo. Su mesa favorita —que gracias a señoriles propinas mantenían desocupada los camareros contra toda demanda y contra todo derecho— hallábase casi al pie de las gradas que a la sala del baile conducen, con la entrada de la calle a su frente y a su diestra la *emborrachaduría* y las puertas del jardín. Pegada a la pared sentábase Santa, ya con distinciones, modales y palabras del mujer "lanzada" que sabe lo que se pesca. Ni trazas de lugareña le restaban, que su colorete era de buen tono, irreprochable el pergeño, de dieciocho quilates el oro de sus alhajas, de magníficas aguas sus brillantes, y egipcianos los cigarrillos que fumaba. Sabía componer un menú y pedir Mumm extraseco, regañar con los mozos y reñir en cualquier parte.

Acostumbróse, o por decir mejor, la acostumbraron sus parroquianos, a levantarse tardísimo, a bañarse de esponja, a que la peinara peinadora de oficio —una francesa vieja que a par entendía de extirpar callos y curar de manos y uñas— y a que en la casa la consideraran de Elvira abajo. Mandábanle siempre coche; cerrado al mediodía, cuando la citaban a beber el aperitivo en alguna cantina de prosapia y que ello no obstante, admiten mujeres en sus discretos interiores. A la tarde, coche abierto, una victoria de bandera azul en cuyo respaldar de tafilete, indolentemente reclinada, íbase al bosque de Chapultepec a respirar aire puro, sin más tiranía que pasar por las puertas del club y sonreír desde el fondo de su victoria al trote, al racimo de socios en sus redes cautivos, los que, con sabio estoicismo, juntos se disputaban sus muecas y guiños, y por riguroso orden sucesivo, a noche por barba, con ella se desvelaban en erótica lid. Lo curioso radicaba en que el grupo entero se unía al individuo de turno con Santa, que cenaban en buen amor y compañía, y luego todos al Tívoli Central o a recorrer prostíbulos, Santa, a guisa de trofeo que a todos por igual perteneciese. A las tres de la madrugada, hora clásica convenida para que estos calaveras profesionales piensen en descansar, despedíanse, dando cada cual un beso a Santa y una palmada a su poseedor.

—Vaya, divertirse y hasta mañana, que me toca a mí —declaraba el próximo dueño de la bella, sin protesta de anteriores ni futuros ocupantes.

Y el grupo de amigos se marchaba tan tranquilo, o decidía ir a dejar a la pareja a los mismísimos umbrales del burdel, ya apagado y mudo; y la despedida, en las sombras del barrio galante, adquiría proporciones de misterioso desfile nupcial antiguo, antiquísimo, anterior a la época en que no se tolera que carne que uno muerde y saborea, otro la haya catado o a catarla se preste.

De ahí, pues, el diario aparecimiento de Santa con su escolta de paladines ricos, de notorios apellidos y ropas londinenses. Ya se sabía, al llegar ella, principiaba el destapar champaña, y el llamar a perdidas jóvenes y agraciadas, de establecimientos inferiores, que se acercaban al distinguido corro con melindres éstas, con encogimientos las otras, con desfachatez las de más allá, provocando iras reconcentradas y tartamudas en sus amantes gratuitos, quienes, a duras penas, permitíanles acudir al llamado. Principiaba una zambra híbrida dentro de la descarada zambra general, debido a que los patricios viejos y muchachas que a Santa escoltaban, según el humor, enseriábanse o se equiparaban al grueso de concurrentes, cometiendo sus mismos desaguisados e inconveniencias. Lo normal, sin embargo, era mantenerse en un justo medio y calmar los arrebatos de Santa y los de los peleadores de la partida. Romper copas y platos, ¡muy bueno!, pero romperse las narices con cualquier quídam, detestable.

Por sus liberalidades, tenía de su lado a *Ravioles*, en primer lugar, a los camareros, y hasta algunos guardianes del orden, que preferían al cumplimiento de la consigna los pesos duros de aquellos de "levita", tan insolentes y borrachos, a su juicio, como los demás, los otros, los del salón y de los gabinetes particulares.

Éstos del salón y de los gabinetes particulares, con malísimos ojos veían a la falange de aristócratas y con ojos buenísimos a Santa; de donde resultaba una continua corriente de antipatía mutua, indirectas en voz clara, risas fingidas y de reto:

— *¡Ravioles!*, mándame un puro de frac que no se apague — gritaba un zascandil, mirando hacia la mesa de lujo.

— *¡Ravioles!*, que me sirvan una pierna de pava limpia y gorda, no de ésas... que apestan a esencia — gritaba una mozuela sin dejar de contemplar a Santa y lastimada porque algún gomoso de los del cotarro, que había sido su cliente, ahora ni con la cabeza la saludaba.

Otras veces, Santa censuraba a tal o cual compañera de profesión, arrancando una salva de carcajadas despreciativas entre sus copropietarios. Y en dos o tres oportunidades, estalló la bomba alcohólica — que veneno de alcohol engendraba escarceos semejantes —, con su derribo de mesas y sus enerboladas por lo alto y sus copas volantes estrellándose contra las paredes y manchando suelos y vestidos; con sus aullidos y sus insultos desentonados, tan soeces, que, se diría, también se estrellan contra las mejillas y la dignidad del a quien van disparados. Entonces, y mientras los camareros precipitábanse a separar gladiadores; mientras *Ravioles* repartía puñadas de verdad, y los gendarmes apaciguaban el motín y los músicos a distancia prudente presenciaban la pelea, Santa perdía las buenas formas adquiridas postiza y recientemente; reaparecía la lugareña bravía y fuerte, siendo obra de romanos el aquietarla. Fuera de sí, agredía a gendarmes, desconocía partidarios, no escuchaba súplicas ni amedrentábanla peligros o amenazas. Desasíase de los que la rodeaban, con los codos, con las rodillas, con sus duros senos de aldeana, y su bellísimo cuerpo trigueño y mórbido adquiría rigideces de acero, griegas curvas atléticas, sonrosada coloración de sangre guerrera y primitiva. Excepcionalmente reñía con las mujeres, ¿por qué, si las mujeres no le habían hecho nada?... Buscaba a los hombres, al Hombre para dañarlo, para herirlo, para marcarlo e infamarlo con sus uñas pulidas y tersas de cortesana, saciando en el que más cerca le quedase al alcance de su cuerpo prostituido, el alevoso golpe que le asestara aquel que le quedaba lejos, en sus borrosos recuerdos de virgen violada. Era su furia cual secreto sedimento de dolor vengativo que arrolla ciegamente, que desgarra cruelmente, que destruye implacablemente por desquitar añejos rencores medio muertos que de improviso resucitaban y de improviso recaen en su letargia. Tanto era así, que a poco, al venir la tregua, al realizarse la reconciliación de troyanos y tirios, Santa abogaba porque a nadie llevasen preso, acariciaba descalabrados y acababa llorando, mitad de histeria y mitad de pena, sobre el hombro del varón al que pertenecía esa noche por precio fijo y voluntad propia.

Bailaba por rareza, pues no entendía ni jota del vals que sus adeptos denominaban "boston", y en cuanto a danzas y danzones, que deben ser bailados con contoneos lascivos y rítmicos —una mezcla excitante de "Danza del vientre" oriental y de habanera anticuada—, tampoco andaba muy adelantada, sus compañeras de domicilio iniciábanla apenas en el secreto:

—Te pegas mucho a tu hombre, así, ¿ves?... En la primera parte hay que dar muchas vueltas, mira, como las damos nosotras, casi sin salir de un mismo lugar... y en la segunda hay que aflojar las caderas, como si se te quebrara la cintura, como si, a punto de desmayarte de deleite, huyeras de la cercana persecución de tu pareja que se te va encima, resbala tú para atrás y para adelante y para los lados... ¡Toca bien Hipo!, que estamos enseñando a tu querer...

De tarde en tarde, entusiasmábase con la orquesta del Tívoli; y ora en brazos de uno de sus acompañantes echaba a perder un vals que los filarmónicos le dedicaban, ora en brazos de un extraño, gustaba de los encantos del danzón y reía de sus ignorancias, de sus torpezas de aprendiz, de que le formaran rueda y se parasen a reír con ella, a desearla y aplaudirla:

—¡Bravo, negra! ¡Bravo! ¡Que te toquen diana!

Chocaba a Santa, por sospechar gato encerrado en la estratagema —las noches en que su permanencia y jolgorio en el Tívoli prolongábanse hasta el amanecer—, el que a eso de las cuatro se presentara el ciego Hipólito en la cantina y so pretexto de comprar cigarrillos o de recetarse un trago que intacto permanecía sobre el mostrador, estuviérase las horas muertas charla que charla con *Ravioles* o con los profesores de la orquesta, sin dar oídos a los ruegos de Jenaro, su lazarillo, que se moría de sueño por la inanición y por el trasnoche. Hasta lo interrogó en cierta ocasión, muy agitada con el baile y con las copas bebidas:

—Hipo, ¿viene usted por mirarme? ¡La verdad!, me daría tantísimo placer el que alguien me cuidara así...

Y el ciego, socarronamente, pero apretándole un brazo arriba del codo, le repuso:

—¿Cómo he de venir por mirarla a usted, si soy ciego?... Yo vengo porque me encanta la parranda y la bulla y la borrachera, soy un gran vicioso, ¿o no Jenaro? —agregó interrogando con la contera de su bastón al sonámbulo lazarillo.

Mas al alejarse Santa, remolcada por pollos y gallos, no está averiguado si es soliloquio o en parlamento con Jenaro masculló:

—No vengo por verte, sino por sentirte, por oírte, por adorarte. ¡Maldita sea mi...!

También el *Jarameño* asomaba muy corrida la noche; también llevaba su cauda de banderilleros, peones, picadores y mozos de espada, que le llamaban "maestro", que sin pestañear lo atendían y en todo demostrábanle singular estimación y respeto.

Entraban vestidos de corto; el calañés ladeado y al aire la coleta; afeitado el rostro; sin corbata el diminuto cuello albo de la camisa en cuya pechera aovada de bordados, titilaban los brillantes grandes como garbanzos, los cora-

les como comienzo de hemorragia, las perlas como colmillos de áspides escondidos que les devoraran el pecho
traicioneramente.

En paseo de triunfo convertíase la entrada, llamados
y saludos de mesas, y admiradores de hombres, mujeres y
músicos y camareros. *Ravioles* mismo con ellos se humani-
zaba y los gendarmes pegábanse a la pared para no estor-
barles el paso. Así remataban, en efecto, circundados de
muchedumbre de personas, de las mozas del partido, muy
principalmente. ¡Qué difícil hacerlos bailar! Desdeñaban
los contoneos de la danza, desdeñaban admiradores y ado-
radoras; y conforme vaciaban "cañas" del vino de su país,
parecía que el tal, de la cabeza sólo la memoria les inva-
diera sin perturbársela, antes sacando a orear en sus ará-
bigos ojos los melancólicos recuerdos, las ternezas de la
tierruca, los amaneceres de los cármenes de Andalucía y
los anocheceres junto a la reja de las Cármenes andaluzas.
El menos desafinado de la cuadrilla rompía el canto y los
demás rompían a jalearlo con los bastones sobre el piso,
con las "cañas" sobre el mármol de la mesa, con palmas,
olés y palabras cortadas, de estímulo:

¡Anda... *güeno*... dale ya!... ¡*arza* y toma!

Todos cantaban, alternados, en una especie de junta
sentimental y poética; quién hablando de la madre, quién
de la novia, quién de cárceles, casi todos de muerte y ce-
menterios; identificándose con su canto, por él desdeño-
sos de amigos y enamoradas; a los comienzos, con el pueril
deseo de cosechar aplausos, ligeramente teatrales; después,
posesionados de nostalgias, cerrando los ojos al brotar de
sus gargantas los versos intensos, para mejor verse por
dentro de lo que por dentro les bullía y ahogaba. El *Jarameño* no perdía su gravedad de "matador de cartel"; con-
cretábase a beber y a dictar fallos que los otros acataban:

—Eso está en el orden, ¡ajo! ¡Por ti, tú! Eso es cantarse
una malagueña...

Sabedora Santa de que el *Jarameño* concurría al Tívoli por ella y nada más que por ella, vedaba formalmente a su encopetada escolta el que se acercaran al diestro:

—Ustedes, si lo apetecen, vayan a oírlos, yo me quedo en mi mesa. Me carga tanto *cante* flamenco...

Por supuesto que mentía al declarar que le cargaban los cantos de los toreros; ¿mal respondería, si le cargasen, a los requiebros de los gomosos? ¿Habría de estarse con la copa de champaña en suspenso? ¿Habría de entristecerse y aun de suspirar según suspiraba y se entristecía?... El *Jarameño* volvíase de tiempo en tiempo a Santa, quien, cobarde siempre, hurtaba el suyo de aquel mirar y se encogía de hombros, cual indicio de que no la conquistaban.

Hipólito, cuando por excepción había aguantado el chubasco de canciones, partía de improviso, sin despedirse de *Ravioles*, que tampoco apreciaba mucho que se diga el repertorio del *Jarameño* y socios; entre los dos pelaban vivos a los diestros:

—Pues a mí me revientan, *Ravioles*, los quejidos y los quejumbrosos, los quejumbrosos sobre todo... Me largo, porque si no...

E iracundo, blandiendo el cayado, agarrábase de un hombro de Jenaro, soñoliento y sin descruzar los brazos, que a falta de abrigo, servíanle, cruzados, de agujereado escudo contra el friísimo cierzo de la madrugada.

—¿Nos vio Santita, Jenaro? —preguntábale Hipólito en la calle desierta.

—Ya lo creo que nos vio, desde que entramos.

—Mejor quisiera que no nos hubiera visto. ¿Qué dirá de mí?

Daba Jenaro la callada por respuesta, pues no alcanzábale por qué le preocuparía a Hipólito la opinión de una mujer del calibre de Santa.

—¿Eres mudo? —insistía el ciego, colérico—. Te pregunto que qué dirá de mí Santita.

—Aclárelo usted mañana, ¡yo qué sé! —concluía Jenaro arriesgando un pescozón que infaliblemente le propinaban por contestaciones semejamtes.

Y muy en silencio entrambos, tan en silencio como las calles desoladas, seguían su camino hasta la de San Felipe Neri en que habitaban, frente al teatro; populosa casa de vecindad de ancho zaguán arcaico, por sus años hundiéndose en la acera, de enanos entresuelos y balcones volados de recios barandales en su tercer piso.

En cuanto Hipólito se eclipsaba, tornábase Santa más libre y benévola respecto de los *cantaores*, con quienes por final fusionábanse los de la mesa aristocrática, prolongándose la parranda a puerta cerrada, después de clausurado el establecimiento en atención al alba que se introducía a sorprenderlos por el jardín, y a las curiosidades de madrugadores que en la afueras se paraban a considerarlos. A la carrera disolvía la reunión; avergonzados los unos de los otros, de sí mismos algunos. Sólo las mujerzuelas y los toreros se marchaban tan campantes, connaturalizados con lo que signifique desórdenes y excesos.

Santa, en más de una madrugada de éstas, creyó haber visto, pero haberlo visto en sueños, que Hipólito, como si hubiese estado en espera de la salida de ella, sin duda, y lo abochornara que lo pillaran en maniobra tan inexplicable e inusitada, huía precipitadamente, azuzando a Jenaro, que, cruzado de brazos tiritaba de frío y trotaba, trotaba tirando de su amo, cuya silueta casi grotesca destacábase con perfiles de grabado al agua fuerte, de las tonalidades opacamente grises que el polvo de luz de la alborada derramaba en el plomizo blanco del pavimento. De verlo, experimentaba Santa honda conmiseración interna no desprovista de sus relieves de agradecimiento y delicia; y si, lo que a menudo acaecía en los tumultuosos adioses, a la sazón le repetía el *Jarameño* su continua pregunta:

—¿Cuándo, Santa?...

—¡Nunca, nunca! —respondíale ella con la mayor resolución y entereza.

Sucedió que una de esas noches de borrasca en el Tívoli, apenas instalada Santa con su destacamento de gentiles hombres en la mesa conquistada a pródigas propinas; una noche en que el ídolo sentíase contenta de veras, casi dichosa, y sus idólatras la festejaban con más rendimiento quizá que de ordinario, todos disputándose sus besos a nadie escatimados por sus labios rojos, tentadores y frescos, que se dejaban aplastar de los labios masculinos que se le ayuntaban secos, ardientes, contraídos de lúbrico deseo; todos de ella hambrientos, lo mismo el de turno que el de la víspera y el del día siguiente...; una noche excepcional en que Santa considerábase reina de la entera ciudad corrompida, florescencia magnífica de la metrópoli secular y bella, con lagos para sus arrullos y volcanes para sus iras, pero pecadora, pecadora, cien veces pecadora; manchada por los pecados de amor de razas idas y civilizaciones muertas que nos legaron el recuerdo preciso de sus incógnitos refinamientos de primitivos; manchada por los pecados de amor de conquistadores brutales que indistintamente amaban y mataban; manchada por los pecados de amor de varias invasiones de guerreros rubios y remotos, forzadores de algunas de sus trincheras y elegidos de algunas de sus damas; manchada por los pecados complicados y enfermizos del amor moderno... Noche en que Santa sentíase emperatriz de la ciudad históricamente imperial, supuesto que todos sus pobladores hombres, los padres, los esposos y los hijos, la buscaban y perseguían, la adoraban proclamábanse felices si ella les consentía arribar, en su cuerpo de cortesana, al anhelado puerto, al delicioso sitio único en que radica la suprema ventura terrenal y efímera... prodújose inesperado incidente.

—¿Qué fecha es hoy? —inquirió—. ¡Jamás me había sentido tan contenta!

Y en el propio momento vio penetrar en la cantina, de negro vestidos, a Esteban y Fabián, sus dos hermanos, que no había vuelto a ver después de agraviarlos.

Al punto descubrieron a Santa, incensada por un puñado de príncipes sin trono que formaban regia corte de corbatas blancas y casacas de etiqueta. A pesar de la diferencia de trajes, los obreros no se atemorizaron. Decididos, adelantáronse a la mesa sin apartar su vista de Santa que, pálida y como fascinada, saltándole de las órbitas sus negros ojazos de gacela, rechazó todos los contactos, se aisló dentro del grupo y con el pecho palpitante, entreabierta la boca, arrinconada contra la pared, aguardó...

—Santa —pronunció secamente Esteban—, venimos a hablar contigo.

No se levantó una sola protesta por parte de los caballeros, la que se levantó fue Santa, humildísima, tropezando aquí y allí con los codos en ángulos y los pies extendidos de la media docena de amantes que circuían. A mitad de la cantina se detuvo, titubeante, mirando a la calle y mirando al jardín.

—Aquí no —les dijo a sus hermanos, dando con el pie en el piso de la cantina—, mejor aquí, donde no nos oigan.

Y al jardín saliéronse los tres; adelante Santa, alhajada y cubierta de raso; atrás Fabián y Esteban, enlutados.

Los tres se juntaron en el jardín bien iluminado por su foco de arco y los haces de luz caídos de puertas y ventanas encima de su césped marchito. De cuando en cuando, lo cruzan por una esquina rápidos camareros, conduciendo platos con manjares calientes que humean y dejan en el aire aromas de comida. Allá, lejos, dos bultos hablan, y el eco de lo hablado se esparce y flota ininteligible. Asido a un árbol, un borracho probablemente, muy agachado, a punto de perder su equilibrio, mira a la tierra con terquedad y fijeza alarmantes. De los gabinetes y de la cantina —hasta el salón de baile— parten carcajadas, taponazos, armonías. Y de la fuentecilla del centro cuyo chorro escurridizo y débil simula lágrimas incontenibles de honda pena desahuciada, el sonido que brota acongoja con sus balbuceos.

Esteban, el mayorazgo, es el que habla; Fabián asiente y Santa ve a ambos.

—No temas que nos detengamos mucho y te hagamos perder tus ganancias... Hemos venido desde el pueblo porque lo creíamos nuestro deber... llegamos en el viaje de las ocho cuarenta y hemos tenido el valor de andar buscándote en todas esas casas puercas, como la que vives... ¡Indecente! ¡Ah!, dispensa, ya no nos importa lo que seas y no volveré a insultarte; allá te las hayas, solita tú... Bueno, pues nos perdimos y nos cansamos y nos han sacado el dinero tus... digo, las pobres mujeres ésas, para cerveza y para anisados y para demonios... En unas partes no te conocían, hasta que en otra nos dieron las señas y llegamos adonde vives y en donde, ¡mal haya el alma!, se rieron de nosotros de lo lindo. Si no es por un ciego que se levantó de un piano y nos preguntó si de veras éramos tus hermanos, los que trabajamos en una fábrica de Contreras... ¿cómo diantre sabe ese fenómeno todo eso? ¿Se lo has contado tú?... Bueno, pues ése nos sacó de la sala y en el patiecito hasta que no le prometimos éste y yo bajo palabra de honor, que no veníamos con ánimo de hacerte nada, nada de malo, se entiende, hasta entonces no nos explicó esto de *Tíguli*... ¿qué cosa es tuyo ese señor, eh?...

Persistió Santa en su mutismo, porque no se le calmaba el corazón ni la garganta andaba muy lista. Presentía algo extraordinario y grave en lo que sus hermanos iban a participarle y no osaba ni variar de postura; prefería estarse así, quietecita y humillada, a ver si lo de la notificación, en que ella procuraba ni pensar a las derechas, apiadábase de ella y por medio milagroso y compasivo se convertía en otro suceso que le doliera, sí, que la lastimara, mas no tanto como la lastimaba y dolía de sólo pensar en él, aquel que de antemano sabía ser verdad, verdad inexorable, desgarradora.

—Bueno, Santa —continuó Esteban a poco, de súbito conmovido y espetando la noticia tremenda sin atenuaciones ni circunloquios—, ¡madre ha muerto!... anteanoche, muy tarde, y hoy la sepultamos, allá, en nuestro cementerio, junto a don Bibiano y el hijo de Ángela, entrando, a la izquierda, abajo de la enredadera de malvones y muy cerca de la esquina en que sembró don Próspero la mata de saucito, ¿te acuerdas?...

No le fue dable a Esteban continuar el fúnebre relato, ni a Fabián y Santa el escucharlo. Inconscientemente, buscáronse sus manos y se replegaron a la pared, en la que Santa recargó su espalda semidesnuda por el escote del rico vestido, y Fabián y Esteban sus hombros robustos de trabajadores. Los tres lloraban; los dos hombres, llanto sereno, sin pañuelo, de escasas lágrimas gruesas que resbalaban despacio, y despacio se internan por entre los pelos de las barbas recias, y Santa, llanto de mujer que sufre; muchos sollozos que la sacudían y muchas lágrimas, muchísimas, que por haber empapado su pañuelo de encajes, enjugaba con el forro acolchado de su espléndida "salida de teatro" de raso de seda. Uno de sus adoradores de frac asomó por la puerta de la cantina con ánimo de averiguar el paradero de Santa, y al advertir a distancia el cuadro, sigilosamente retornó a su puesto.

Serenóse Esteban el primero y reparó que Santa les tenía cogidas las manos, desprendió la de él obligando a Fabián con el movimiento, a que hiciese lo propio. Santa comprendió y retiró las suyas, con que se cubrió luego el rostro sin parar en su llanto. Aunque apesadumbrado Esteban con la evocación de su orfandad reciente, reflexionó en lo que Santa era, que bien lo publicaban el lujo y la riqueza de su atavío; recordó las postrimerías tristes de su vieja Agustina, muerta inconforme porque su hija no estaba a su lado en su agonía poco quejumbrosa de aldeana, y no le cerraría, piadosamente, sus ojos rugosos y cegatones desde que en vano buscaban a la extraviada, como piadosamente se los cerraron él y Fabián, su hermano. Revolvieron tales recuerdos en Esteban sus mal ocultas iracundias, y volviéndose a Santa, percatado de que ya algunos ociosos husmeaban un suceso anormal y de lejos procuraban determinarlo, díjole de prisa, fruncidas las cejas, la entonación ronca:

—Madre no te maldijo ¡pobrecita! Antes te llamó, ¿comprendes? Te llamó y nos previno que te dijéramos, si volvíamos a verte, que te perdonaba todo, ¿oyes...? ¡Todo! Y que su bendición de moribunda, le pedía a Dios que te alcanzara y protegiera igual que a nosotros, que de rodillas la recibimos... Ya cumplimos y ya nos vamos... ¡Si madre, por ser tuya también, no te maldijo, nosotros sí...! ¡No nos busques ni nunca!, ¿entiendes?, nunca te ocupes de nosotros, hazte el cargo de que también hemos muerto... Dios que te ayude, infeliz. ¡Fabián, vámonos!

Y los dos hermanos implacables salieron del establecimiento infame, por la puertecita de su jardín, rectos, vengadores, solemnes; sin detenerse a mirar a Santa, falta de palabras o con qué defenderse, y que quiso salir tras ellos, implorarles que no la maldijeran, que le tuvieran —no cariño, no, si no lo merecía—, que le tuvieran lástima...

Sin importarle lo que pensasen o dijesen sus amigos adinerados, salió a la calle. No divisó a sus hermanos; la ciudad vorágine, se los había tragado...; y conforme unos minutos antes Santa sentíase reina, emperatriz y dichosa, ahora sentíase lo que en realidad era: un pedazo de barro humano; de barro pestilente y miserable que ensucia, rueda, lo pisotean y se deshace; mas ¡Dios mío!, ¿por qué los barros impuros como ella tenían un corazón y una conciencia?... Tan miserable se sintió, que agarrada a la reja de una ventana púsose, instintivamente, a contemplar estrellas, estrellas del cielo, única región de la que podía venirle alivio...

El cual muy abajo le vino, de Hipólito, que en cuanto acabó de tocar en el burdel, cólose en el Tívoli y de no hallarla con los señores, de saber por boca de *Ravioles* el aparecimiento de los enlutados y el desaparecimiento de Santa, qué sé yo qué enormidades se dio a imaginar. Ello es que se disparó a caminar calles, las adyacentes al Tívoli y a los prostíbulos, pues caso que a Santa no le hubiese ocurrido una gran desgracia, en ellas la encontraría:

—¿Estás seguro, *Ravioles,* de que acaba de irse?...

—Te digo que sí, hombre, hará un cuarto de hora que abrió Epigmenio la puerta del jardín.

—Pues anda, Jenarito, hijo, vuélvete ojos, que yo sólo puedo volverme maldiciones.

Cuando columbraron a Santa, cuando Jenaro la reconoció a lo lejos y le comunicó a Hipólito su descubrimiento, Hipólito lo detuvo:

—Déjame resollar, bárbaro, que me has traído a galope...

—Santita —murmuró Hipólito al aproximársele—, ¿qué le sucede a usted?

—Ay, Hipo, qué gusto que venga usted —dijo ella echándosele al cuello sin reservas ni melindres, de nuevo ahogada por los sollozos que la sacudían y por las lágrimas que a raudales le manaban.

—Pero, ¿qué le aflige a usted, Santita, qué le ha pasado? —replicó Hipólito sin siquiera estrechar la cintura y el busto que le abandonaban. Y al interiorizarse de la muerte de Agustina; al saber que Santa no quería ver a nadie ni con nadie dormir, a riesgo de que no la solicitasen más y se muriera de hambre, redobló sus atenciones castas y delicadamente le aconsejó una salida:

—Tiene usted razón que le sobra, Santita... perder uno a su madre, ¡caracoles...! Lo que importa entonces es no tornar a la casa. Duerma usted en un hotel, encerrada en el cuarto que le den, y mañana usted dirá... Esta noche sólo debe usted dormir con sus pesares; ¡Jenaro!, búscate un coche.

Más delicadamente todavía, mientras duró la instantánea ausencia del granuja, no supo dominarse y besó las enclavijadas manos de Santa, que halló al alcance de su boca. ¡Oh!, uno de dos besos nada más, respetuosísimos, apenas rozando el cutis sedeño de la ramera sin ventura. Luego la empaquetó en el simón, le recomendó hotel y liquidó al cochero con propina y todo.

—Le pago, Santita, porque usted no ha de llevar sueldo y porque no vale la pena, ni más pobre ni más rico...

Y como enclavado en la acera permaneció un rato, meneando sus cejas desaforadamente, los labios a compás. Jenaro, interesado a la fuerza en los extraños sucesos, llegó a dudar si el ciego rezaría...

Únicamente Dios para saber lo que pasaría por el espíritu de Santa en aquella noche de duelo solitario, que eterna se le hizo dentro de un cuarto del hotel Numancia, en cuya cama se estuvo, más amodorrada que dormida, hasta sonadas las once. Al repique de la campanilla eléctrica, acudió el sirviente solícito y se plantó a media habitación sin quitarse la gorra de iniciales de níquel.

—¿Le subo a usted un café? ¿Con veneciana o con mollete? —preguntó a la huésped.

—Como te dé la gana, me es lo mismo. Súbeme papel y pluma y que me llamen a un mensajero. Abre el balcón antes de irte... no tanto... así...

—De El Cosmopolitan se lo traje, porque es superior —anunció el sirviente a su regreso cargado de azafate, taza, cafeteras, azúcar y un pan francés rebanado a lo largo y untado de mantequilla—, figúrese usted que todos los toreros que en él se reúnen se lo aseguran al dueño... La mantequilla es de Toluca y el mollete me lo doraron al horno... ¿Arrimo una mesita o se lo sirvo en el buró?... Ya en el despacho llamaron al mensajero y pedí una pluma... ¿Fría o caliente para lavarse? —terminó después de alistar, muy práctico, el ponderado desayuno y de posesionarse de la jarra posada en el fondo de la palangana vacía.

Santa no justipreció la charlatana índole del sirviente, aprobaba de antemano sus propuestas. Concluyó de empeorarle el humor —de suyo desapacible en este despertar, que a modo de "buenos días" le dio en la memoria con la dramática escena de la víspera— el notar que contra sus deseos y más enérgicas voliciones de pensar sola y exclusivamente en su desgracia, en lo irreparable de la pérdida, en las virtudes de su madre, fuérasele el pensamiento hacia todos lados, rumbo a todas las cosas, aun las más triviales y ajenas a las que ella pretendía encadenarlo. ¿No acaba de largársele, oyendo las tonterías del sirviente hablador, camino de *Jarameño*?... Y por oponerse Santa a los caprichos de su pensamiento, por empeñarse en sacarlo de ese camino en que se atascaba, mantúvose más minutos de los que quisiera pensando en el hombre ese...

Cuando de nuevo se apoderaron de ella sus melancolías, escribió cuatro palabras a su compañera la *Gaditana*:

"...tengo encima una aflicción grandísima. A la tarde nos veremos, avísale a Pepa o a la misma Elvira y mándame con el mensajero el vestido más oscuro que encuentres en mi armario y un mantón negro de cualquiera de ustedes"...

Cerró su carta y formó un lío con las ropas y el abrigo que portaba la noche anterior, quedándose entre sábanas. Vuelta a sus soledades mentales, sin esfuerzo domeñó ahora su pensamiento, el que, domeñado, claro, enderezó los pasos a su pueblo, Chimalistac; a la blanca casita de su infancia; a su madre, sus hermanos, sus pájaros, sus flores; a sus comuniones anuales y matutinas en la capilla del villorrio, toda desconchada por fuera y dentro, carcomida su torre caduca, formándole al techo la hilera de nidos de golondrinas hasta su mitad empotrados y semejantes a botijos musgosos, un alero convexo; enderezó los pasos a los alrededores de su vivienda, a quintas y huertos de parientes y amigos. Miraba el conjunto por manera fantástica: unas cosas cerrando los ojos, otras, abriéndolos: mirábalo casi cual existencia de prójimo y no suya; sí, sí, bellísimo todo, pero qué distante, Señor, qué distante... Mucho más allá de lo bueno y de lo malo, de sus purezas de doncella recatada y de sus liviandades de prostituta en boga, lejos, lejos, lejos... Lejanía tamaña ocasionábale interno júbilo; no regresaría a su pueblo ni a los demás, porque el regreso era imposible (¿acaso regresamos a los países del sueño?), pero no por maldad suya que oculto poder omnipotente castigara prohibiéndoselo... ¿Si se prosternara ante ese mismo poder oculto?...

—No, no, qué desvergüenza —masculló en las almohadas, escondiendo la cara en el embozo de las sábanas, cierta de que el oculto poder la atisbaba.

Fue una lucha corta, de gente vulgar que no ahonda teologías sino que se deja conducir por su instinto. Y su instinto sugeríale a Santa encaminarse a un templo, encender un cirio por el alma de la finada, orar por su descanso eterno; cuanto recordaba que es de rigor ejecutar por los muertos. ¿Que estaba ella en pecado mortal?... demasiadamente que lo sabía, mas la muerta era su madre y de rezarle tenía. ¿Había de rezarle en el...? ¡Qué horror, San Antonio de mi alma, qué horror!... ¡Le rezaría ahí, en un hotel, en la calle, en un coche?... ¡Qué impropio y qué disparatado! Por otra parte, habíanle ganado tales ansias de cambiar de vida... sí, de cambiar de vida, ¿por qué no...? ¿O sólo de *eso* se podía vivir?... ¿Cómo de muy diversos modos vivía tanta mujer, hasta con criaturas de nutrir y abandonadas igualmente de sus seductores?... Pues a imitarlas y apegarse al trabajo, que fuerzas y salud poseía de sobra. ¿De qué trabajaría?... ¿De planchadora? ¿De lavandera? ¿De criada?... No, de criada no, por ningún salario. De lo que se presentara, en cualquier oficio... Y prosiguió bordando el plan de toda una existencia de arrepentimiento y enmienda, con la que se regeneraría poquito a poco, mucho más despacio que cuando se envileciera, pero lográndolo al cabo por remate a sus empeños. Cierto que la senda —aun antes de recorrerla— la amilanaba de puro espinosa y alfombrada de abrojos; cierto que entre proyecto y proyecto cruzaba la imagen de sus amigos preferidos, con los que no pecaba a disgusto; la de Rubio, que reiteraba su oferta de mancebía apartada; la de este mocito que la trataba como a prometida; la de aquel viejo que le exigía indecencias complejas que a ella la divertían; hasta la imagen de Hipólito cruzó la senda mística de salud infalible —que únicamente en el lastimado cerebro de Santa adquiría contornos reales—, la cruzó en un segundo, sin que la misma Santa entendiera por qué la cruzaba, dado que el ciego salía sobrando por idéntica manera en el próximo vivir que en el vivir actual, y dado que quien llenaba harto rato ha la senda en proyecto era el *Jarameño*... ¡Qué pesadez de hombre, con su persecución perenne!... ¿Conque sí, eh?... ¡Pues a desterrar intrusos, y de ser preciso a darse de cabezadas contra las piedras del templo!

Como madurase su plan con los ojos cerrados, vuelta a la pared y asaz ensimismada, no oyó que el sirviente del hotel depositó en una silla los trapos oscuros y el mantón de negro burato, remitidos por la *Gaditana*. Se le antojó obra de ensalmo hallárselos tan cerca y por invisibles manos llegados, y resolvió su inmediata concurrencia a una iglesia. Iría, ya se ve que iría; y febrilmente, hinchados sus ojos con el mucho llorar y con el poco dormir, bañóse el rostro con el agua tibia de la jofaina, se vistió a las volandas, y extrayéndose de una de la medias un fajo de billetes, pagó su cuenta.

Las cuatro de la tarde serían; las calles del Refugio y del Coliseo Viejo veíanse enchidas de copia de transúntes y muchedumbre de vehículos, empapadas del riego que sobre su piso de macadam desparramaban los carros regadores del Ayuntamiento, y los criados de tiendas y almacenes, empapadas de sol, un sol poniente que se hundía tras las azoteas de la Casa de Maternidad, allá en la calle de Revillagigedo, que rompe la línea recta de las de la Independencia y Tarasquillo, hacia las que Santa miraba.

Maquinalmente entróse Santa en la confitería de junto al hotel, servida por señoritas muy limpias y guapas, afables, con grandes delantales claros:

—¿Qué apetece la señora...?

¿Que qué apetecía? Ser igual a ellas o como se las imaginaba que serían: honradas, trabajando un montón de horas, viviendo en familia, queriendo a su novio. Compró caramelos, por comprar algo, ruborizada, y provista de cartucho de dulces, no bien desfiló un alud de tranvías, cogió el callejón del Espíritu Santo, continuó por el de Santa Clara y doblando a la izquierda no paró hasta la reja del templo de ese nombre.

En el atrio, un mendigo estropeado le alargó la mano y Santa le dio un peso duro, subióse luego el mantón y se adelantó a la puerta, emocionada con los conjuros que el maravilloso mendigo le endilgaba:

—¡Alabado sea el Divinísimo Sacramento...! ¡La Santísima Virgen de Guadalupe le dé a usted más, niña!...

Pisaba los umbrales a tiempo que estalló dentro del templo un gran repique de campanillas y que el órgano entonaba un himno formidable, imponente, con algo de extrahumano en sus sobrias melodías sacras... Sobrecogida, Santa se detuvo y por darse a sí misma un pretexto, segunda vez fue al mendigo que ya levantaba el campo, y que al advertir a Santa, apresuró sus andares calculando que, regularmente, vendría a reclamarle el peso, por equivocación regalado.

—Oiga usted, oiga usted —tuvo que repetirle Santa—, también le regalo a usted éste, son caramelos. —Y le tendió el paquete.

Recatadamente, gacha la cabeza y entornados los párpados, realizando un supremo esfuerzo, penetró en el templo y conquistó un rincón, entre un confesionario y la tarima alfombrada de un altar lateral. Por su gusto habría penetrado de rodillas. Arrodillóse en su medio escondrijo, aturdida de la emoción y del repique de las campanillas que en unas ruedas de madera giraban impulsadas por los acólitos; anonadada, sobre todo, por el órgano que vertía y multiplicaba en la bóveda de la nave acentos de otros mundos, graves, temblorosos, sostenidos, casi celestiales, que a ella le producían bien y mal a un propio tiempo; bien, cuando los traducía como esperanzas de perdón; mal, cuando los interpretaba como certidumbre de fatal castigo; y en la una y en la otra vez, patentizándole con lo majestuoso y severo de sus notas ¡cuán vil y desgraciada era, qué pequeña, qué débil, qué sola, qué mísera!

Acometiéronla entonces mayores ansias de orar, por eso, por desgraciada y vil; "que —pensaba ella— el rezo se ha inventado para nosotros, los viles y los desgraciados, los que no supimos resistir y tenemos más grande necesidad de cura..." Con objeto de alcanzar el Cristo del altar mayor, abrió sus ojos, a la par que escuchaba con deleite cómo el órgano, ahora, le reiteraba las promesas de un perdón excelso.

¡Señor Dios, y lo que vio!

Vio a un sacerdote, de espaldas al ara cuajada de cirios y de dorados, levantada la cortinilla de damasco del ta-

bernáculo de cristales y ónices, empuñando una custodia
de rayos tan vivos y deslumbrantes cual si estuviesen for-
jados del sol que al través de los vidrios de la cúpula tami-
zaba áureo polen en las canas del padre, en los bordados
de su capa pluvial y en los pliegues del humeral; el paño
blanco de oro recamado, posaba encima de sus hombros
angulosos de viejo y con más extremidades habíase en-
vuelto sus ambas manos impuras de hombre, para soste-
ner la custodia que atesoraba el Sacramento, y manifestaría
en una conversión de su cuerpo, pausada y noble, a la adoración de los fieles prosternados.

Santa, en éxtasis, pidió mentalmente la muerte, olvidada de su vida y de sus manchas. Morir ahí, en aquel instante, frente por frente del Dios de las bondades infinitas y
de los misericordiosos perdones. Y retrotraída, de improviso, a sus prácticas de campesina católica, humilló la cer-
viz y se abatió en la tierra que besó, y besó, fervorosamente,
con sus labios frescos y carnosos de hembra mancillada.

Advirtió apenas que el órgano enmudecía y las campanas callaban; que algunos fieles partían del templo, según
se colegía de un rumor sordo de pasos. Escuchó en seguida que movían bancas y arrastraban sillas. Enderezóse y
apoyando los codos en el reborde de la puerta del confesionario, muy esperanzada se puso a orar con su madre en
la casita blanca de su pueblo. De consiguiente, no se fijó
en la entrada de un batallón de chiquillas ni en una media
docena de damas principalísimas presidentas, secretarias
y tesoreras de no sé qué cofradías, que la miraban, la seña-
laban con el dedo y asistidas de un capellán de sotana y
bonete, discutían con calor. No reparó en eso, no, ni tampoco era fácil que supiese que alguna de ellas guardaba en
su conciencia faltas tan leves como un adulterio consentido por la aristocracia a que pertenecía.

Pero ellas sí la habían reconocido... ¿Quién la mandó
atraer con sus hechizos de carne dura y sabrosa a padres,

esposos e hijos? ¿Quién la mandó exhibirse en teatros y paseos, donde señoras y señoritas, cuyo alentar ignoraba Santa en su olímpico desdén de triunfadora que no admite rivales, habíanse aprendido de memoria sus facciones y su nombre?

La discusión concluyó por una arbitrariedad: llamando al sacristán y ordenándole algo muy imperioso y austeramente, en alto los índices enguantados, las tocas y sombreros con las lágrimas temblorosas, el capellán con la manos en las sienes y las chiquillas inquietas mirando ora a sus protectoras, ora a la mujer arrodillada, contra la que se disparó el sacristán:

—Se va usted a salir de aquí al momento —dijo brutalmente a Santa, que lo vio sin comprender lo que le decía, perturbada en su oración y en su ensueño místico.

—¿Que me vaya yo...? ¿Y por qué he de irme? Usted no es el dueño de esta iglesia y en la iglesia cabemos todos, más los que somos malos.

—No me obligue usted a echarla a la fuerza —declaró el sacristán, persona ordinaria que se sabía protegido.

—Déjeme usted un rato más, por favor —rogó Santa—, estoy rezando por mi madre que ha muerto y porque a mí me perdone Dios...

—¡Qué madre ni qué abuela! ¿Se va usted o llamo a un gendarme para que la saque?...

La amenaza del gendarme amedrentó a Santa. ¿La policía?... No, no. La policía era su dueño, su amo, su terror; a ella pertenecía, como todas las de su oficio, como todo lo que se alquila y como todo lo que delinque...

—Ya me voy —suspiró—, tiene usted razón, nosotras no deberíamos venir a estos lugares... ya me voy...

Y sin santiguarse, sin subirse el mantón que se le había bajado de la cabeza, seguida del sacristán que con fingidos enojos la contemplaba, Santa salió del templo y se arrimó a una de las columnas del atrio.

—No, aquí tampoco —decretó el celoso sacristán—, ¡a la calle, a la calle!

A la calle se dirigió Santa, obediente y muda. Y en la calle la examinaban con extrañeza las personas ayunas de lo acaecido.

Sólo ella sabía por qué la expulsaban, sólo ella; era huérfana y era ramera, pesaba sobre ella una doble orfandad sin remedio.

Capítulo V

La casa de Elvira, lo mismo que las demás del gremio, de espaldas a la ley, se permite diversas libertades y transgresiones que resultan siempre en perjuicio inmediato o mediato de los clientes. De ahí que expendan bebidas alcohólicas a exagerados precios y que la inspección médica que cada semana han de sufrir sus inquilinas, en el hospital municipal de Morelos, la sufran cómoda y tranquilamente en el prostíbulo, de facultativos particulares que a las veces y por lo amplio de la paga "tienen ojos que no ven" lo que debieran. De ahí que... una porción de cosas.

Santa, por predilecta del alma —gracias a las ganancias pingües que le producía—, y porque en los primeros días de huérfana y de expulsada del templo se confinó en su habitación, dejó de sufrir una de las visitas del doctor de confianza y éste no apuntó en la libreta que Santa hallábase "sana". Al cabo de unos ocho días, Santa reapareció en la sala, ligeramente hosca y agresiva de palabra, con momentáneas ausencias de pensamiento, pero como resuelta a apurar de una buena vez los agridulces dejos de su carrera triste, según se entregaba a hombres y a copas.

—¡Santita, despacio! —decíale Hipólito—, que si tropieza usted y cae, va a dolerle mucho la caída.

—¡Si me caigo...! ¡Si me caigo...! ¿Y qué más caída me quiere usted, Hipo?

—No se enfade usted, Santita. Siga usted, pues, y que viva la Pepa.

Siguió la cosa; en *crescendo*, que sobrábanle arrestos a la muchacha y las ocasiones no escaseaban, ¡qué iban a escasear! Creeríase que de improviso y por íntimas causas determinantes, lo poquísimo que de bueno conservaba y que se traducía en determinadas repugnancias por esto y por aquello, en ciertas predilecciones y unas cuantas delicadezas que sobrenadaban de su naufragio de cuerpo y de su agonía de alma, se fuera muriendo a gran prisa, y Santa, con más prisa todavía, lo enterraba bien hondo, en profundas huesas insaciables, huesas de desesperanza y desencanto, para evitar la putrefacción de tanto cadáver de ilusiones, purezas e ideales. ¿Qué había de hacer sino enterrarlos, ya que eran muertos y no podía llevarlos a cuestas, ni siquiera esconderlos dentro de su cuerpo lleno de vida y proporcionar placer sentenciado? Lo que le explicaba a Hipólito, dueño ya por entero de sus confidencias:

—Si parece que me empujan y me obligan a hacer todo lo que hago, como si yo fuese una piedra y alguien más fuerte que yo me hubiera lanzado con el pie desde lo alto de una barranca, ¡ni quien me detenga!, aquí reboto, allá me parto, y sólo Dios sabe cómo llegaré al fondo del precipicio, si es que llego... Luego, también me comparo a una piedra, porque de piedra nos quisiera el público, sin sentimientos ni nada, y de piedra se necesita ser para el oficio y para aguantar insultos y desprecios... ¡Ya vio usted qué me sucedió en la iglesia!

—Usted disimule, Santita, pero eso de la iglesia ya le dije a usted que había sido una injusticia... ¡Qué barbaridad!... Y si no fuera porque de veras el oficio de usted está muy mal mirado yo le aconsejaría que se quejara, ¡caray! Mas lo de la iglesia no se infiere ni es menester que usted haya de suicidarse como está usted suicidándose... porque, Santita, convénzase usted, la vida será todo lo fea y amarga que se quiera, pero ni conocemos otra ni retoña la condenada... Calcule usted cómo será, que yo, que soy ciego, la defiendo... Refrene usted sus bríos —agregó muy turbado y encaminándose al piano con objeto de ocultar su turbación—, ¿quién respondería de que no esté usted llamada a labrar todavía la dicha de un hombre que necesite de usted para ser dichoso...?

Santa se puso seria, porque al propio tiempo que entendió la discreta alusión del pobre músico, ¡ay!, entendió, asimismo, que ni asomos de amor nutría por él, ni pizca. Moralmente, nutría estimación amasada con su poquito de piedad sin interés carnal y su bastante de gratitud; físicamente, casi repugnancia, con más miedo a sus ojos sin iris, de estatua de bronce sin pátina.

En cambio, Rubio, el de la propuesta de apartado amancebamiento, érale simpático al extremo, pues operábase en Santa —aunque no se diese cuenta de ello— el naturalísimo deslumbramiento que ejerce en ánimo de plebeyo origen el calcularse igual al antiguo señor respetado y quimérico que a la larga, desgastado por los años y por los vicios, baja en sus pósteros al nivel del antiguo vasallo; y como no resta de este vasallaje y de aquel señorío más que el deseo eterno y santo, generador de mundos, él es el encargado de arrojar al uno en brazos del otro, obligándolos a olvidarse de vejeces y distancias, bajo la condición dulcísima de un total acercamiento de juventudes. Rubio, por callados sinsabores conyugales sin menoscabo de honra: cuestión de genio de la esposa, sola dueña del fortunón que gastaba el matrimonio —así hablaron los del *Sport Club* al ser inteligentemente interrogados por Santa—, Rubio persistía en la propuesta, insistente, encaprichado; padeciendo, por otra parte, de enfermedad de carne y de costumbre, conocida de todos los masculinos: no apreciaba a Santa, no la amaba siquiera, habíase acostumbrado a ella.

Santa no lo desahuciaba, ¡qué disparate!, pedíale largas, unos meses de mutua prueba; cual si de su lado cupiese alguna satisfactoria, llevando la existencia que llevaba.

Por lo que al *Jarameño* respecta —¡ay!, ahí le dolía—, el problema continuaba insoluto, negándosele Santa y enardecido él. Ya no suplicaba ni preguntaba cuándo, había variado de táctica, ahora trataba de hallarse junto a Santa lo más posible, y acicateado por anhelos casi animales, por apetitos insaciados, dióse a frecuentar el burdel a todas horas, a cortejar a las guapas de la casa, con quienes hasta dormía sin tocarlas, para ver despertar en Santa un conato de despecho.

¡Con qué punzante interés presenciaba Hipólito, a distancia, esta lucha de amor! Con cuánta anticipación previó, a pesar de su ceguera de ojos, que no sólo Santa se entregaría al torero sino que habría de adorarlo tanto, tanto, que con la mitad, con la centésima parte de la idolatría que adivinaba latente en la muchacha, el hubiérase reputado millonario de dicha. Porque ya sí que no cabíale duda, quería a Santa con sus cuatro sentidos, con su entero corazón y con su entero cuerpo desgraciado. Y sufría horrorosamente, pues aunque no se conociera, sabíase feo, repugnante, sin atractivos; los harapos humanos, malamente llamados mujeres, con los que había desfogado su vicioso temperamento de fauno en continuo celo, no podían menos de confesárselo en los momentos supremos del espasmo, asustadas de él:

—"¡Qué feo eres, Hipo, qué feo!..."

E Hipólito se acostumbró al dictado, formóse con él una especie de coraza por la que resbalaban sin herirlo las carcajadas y denuedos con que por lo general acogían sus cínicas declaraciones amatorias las hembras de algunos puntos que el ciego perseguía y que las más de las veces, andando el tiempo, venían a ser suyas —¡son las mujeres tan caprichosas!—. Pero Santa antojábasele diferente, de pasta distinta, no obstante su género de vivir; reputábala inasible y domiciliada en regiones quiméricas de bienaventuranza y ensueño. A los principios de la pasión en que hoy se consumía, no aquilató el malestar que de él apoderábase en cuanto Santa partía de la sala acompañada de un alquilador cualquiera que, probablemente, ni apreciaría el tesoro que se le entregaba. Sí, chocábale quedarse desagradado y pensativo junto a su piano, mientras arriba, en el cuarto, se realizaba íntegro el programa brutal y nauseabundo de los acoplamientos sin cariño, que él conocía de coro por haberlos practicado y oídolos relatar con menudencias y detalles, tantísimas veces...

"¡Ahora se desnuda ella!..." —seguía pensando. Y de sólo pensarlo, se estremecía en su banquillo, cual si agua helada le escurriese por la médula, y sus horribles ojos blancuzcos, sus ojos sin iris y sin esperanza de poder admirar jamás esa desnudez magnífica, y, sobre la que galopaban desbocados todos los apetitos, enfurecidas y dementes todas las concupiscencias; sus ojos de estatua se encerraban muy apretados, ¡como si la soberana desnudez de Santa tuviera el privilegio prodigioso de deslumbrar y herir hasta los ojos de los ciegos...!

No tocaba entonces —aquello no era tocar—, con movimientos titánicos hacía que las notas aullaran y maldijeran, improvisando arpegios enlazados que resultaban danza de un extraño sabor, que quizá subirían al cuarto excomulgado a arrullar a la pareja en los desfallecimientos rudos de la carne satisfecha. Y al bajar Santa, al escucharla reír y charlar con compañeras y visitas, ¡con él mismo!, sin dar la mínima importancia a lo hecho que de repetirlo transmutábase en insustancial e insignificante, acometían a Hipólito serias tentaciones de estrangularla, de causarle grave daño, así a él le pegaran cinco tiros o lo partiera un rayo.

Por fortuna, pasábale pronto el arrechucho, y vuelto a sus casillas reñíase, se prometía no reincidir, disimular a cualquier costa un amor que, ya en frío, no vacilaba en bautizar de locura. Mas sus arrepentimientos desvanecíanse en breve, a diferencia de la espina, que se le clavaba más adentro cada día. Vez hubo en que considerara su conflicto sentimental desde opuesto punto de vista, ¡qué demonios!, en definitiva Santa no era manjar de dioses ni monja clarisa. ¿Por qué no había de probar fortuna presentándose al igual de los favorecidos, con sus dineros contantes y sonantes, a comprar una mercancía que se hallaba en venta y a la disposición del mejor postor? Una tarde, hasta llegó a guardarse veinte pesos para ofrecerlos a la chica y alcanzar con paga tan fuera de lo común, lo que indudablemente valía menos para los otros, los que no espantaban por su fealdad; él daría más, a modo de compensación, con objeto de que las repugnancias que despertara se atenuasen con el desprendimiento. Hízose guiar de Jenaro, asombrado de la excursión a hora inusitada.

—¿De veras vamos a la casa de doña Elvira?...

—¿Qué te asombra? Tengo que arreglar un negocio importantísimo.

Mas al encontrarse frente a la puerta; al preguntar Jenaro si llamaba, Hipólito titubeó, reaccionando, y de oír ruidos de pasos en el interior, viró a toda vela, a rastras obligó a su lazarillo a caminar para atrás unas cuantas varas.

Sentados ya, de espaldas a la casa y medio encubiertos por los troncos y ramas del jardín, respiró Hipólito desahogadamente, encendió un cigarro, y por millonésima vez, de poco tiempo acá, sujetó a Jenaro a un interrogatorio que formulaba a diario, pensando las respuestas del granuja, llenas de donaire y no exentas de colorido picaresco.

—Jenarillo, hijo, vas a explicarme cómo es Santita, ¿eh?...

—¿Otra vez, don Hipólito? —exclamó Jenaro, que a la sazón, con uno de sus pies descalzos dibujaba en la arena letras y signos. Pues Santita es preciosa, don Hipólito —principió el tuno sin prestar gran atención, por lo pron-

to, al retrato hablado—. Imagínese usté una mujer como
dos dedos o cuatro... no, como dos dedos más grande que
usté y maciza... ¿cómo le diría yo a usted?..., maciza como
una *estuatua* de esas del Zócalo, que no lastimara al apretarla uno...

—¿La has apretado tú acaso, sinvergüenza?

—¡Adiós! ¡Apretarla, apretarla, claro que no!, pero pa'
las veces que esperándolo yo a usté en el patio y saliendo
ella con otro señor, me ha apachurrado contra la pared,
aldrede, sabiendo que soy yo y riéndose de mi sofocación...
Ya usté sabe que conmigo es muy retebuena, siempre me
guarda un taco de comida, y los sábados me afloja mi
pesetilla...

—¿A mí qué me importa todo lo que me charlas como
una cotorra? Te digo que me cuentes cómo es, pero bien
contado, empezando por su pelo y acabando por sus pies...
anda, Jenarillo, anda, íbamos en que es muy maciza y muy
alta, sigue... Considera tú que la ves noche a noche y que
yo no he podido verla nunca...

—Pues el pelo... —comenzó Jenaro, serio ya, buscando
imágenes en su paupérrimo léxico callejero que despertaran en su amo una comprensividad especial—, su pelo es
del color de lo que usté que no ve nada ha de ver con sus
ojos, quiero decir, negro, negrísimo, del color que yo veo
si me aprieto los míos... sí... sí... así es (insistiendo después
de apretar sus ojos con los dedos). Cuando lo tray suelto
los días de baño, que me parece a mí que son todos los de
la semana lo menos le da más abajo de la cintura... seguro,
como una cuarta más abajo, y es tanto, don Hipólito, que
le cubre los dos pulmones, se le viene pa'delante y tiene
que estar echándoselo pa'trás con sus dos manos... pero el
maldito no se deja, le tapa las orejas, se le amontona en los
hombros, le hace cosquillas en el pescuezo... el aire se lo
vuela hasta los ojos y los labios, o se lo enmaraña, y ella se
amohína, sacude la cabeza... entonces ¡válgame Dios, pa-

trón!, le cay a modo de manto, de esos que las "rotas" ricas llevan al tiatro, esos de puritita seda que con la luz eléctrica relumbran como si fueran charcos de tintas y que ellas recogen con los guantes, al apiarse de sus coches, pa'que ni el aire de la calle se los maltrate...

—¿Así es su pelo...? —prorrumpió Hipólito, meditabundo. ¿Y su cara, cómo es su cara? A que no sabes decírmela...

—¿Que no sé? ¡No digo! Vea usted, patrón, su cara... pues su cara es muy linda cuando está seria; se parece, al pronto, a la de las vírgenes y santas de las iglesias... espérese usted, don Hipólito, espérese usted, que usted no sabe cómo son... cuando está seria... ¡que jijo, no le hallo el modo...! cuando está seria... pues cuando está seria, ¡caracho!, calcúlese usted que en lugar de pellejo se la hicieron de duraznos, pero de duraznos melocotones, los que tienen en su cáscara que huele a bueno, una pelusita finita, finita, que de tentarla nomás se le hacen a uno agua la boca por comérselos... ¿A que ora sí me entendió usted...? Ora, cuando se ríe, se le hacen hoyos en los cachetes y en la barbilla, como del vuelo de una lenteja cruda; y de los ojos, yo creo que le sale luz igualita a la del sol... bueno, no tanto ni tan fuerte, ¡qué tonto soy!, parecida a la del sol, eso sí, muy parecida, porque lo alegra todo y todo lo anima, hasta a mí que soy chico y destrozado y que nunca entro en la sala... me llega la luz a mi rincón y en mi rincón me alegra, y hasta los chiflones que se cuelan por el zaguán, el sereno que de las nubes baja al patio y que me hace temblar de frío noche a noche, me hacen los mandados si ella mira pa'donde yo estoy, los venzo con el puro pedacito de su mirada que me toca a mí y que guardo harto rato, cerrando mis ojos pa' que se me vaya hondo... me acurruco entonces, clavo la cabeza en mis rodillas y me duermo muy a gusto, hasta que usted, cuando acaba en el piano, va a despertarme con su bastón...

—¿Así son sus ojos...? —de nuevo preguntó Hipólito, más meditabundo todavía—, si son así, mirando con indiferencia, ¿qué serán cuando miren con cariño, Jenaro?...

—¡Újule, patrón, sépalo Dios! ¡Santita tiene ojos de venada, negros también y como almendras, pero si los viera usted!...

—Volvería a cegar —declaró Hipólito, profético.

—¿Tanto la quiere usted, patrón? —inquirió Jenaro, atreviéndose por la primera vez a deslindar situaciones, por más que con sus malicias de granuja abandonado, con sus picardías de niño que no ha tenido infancia, de azotacalles, sin padres ni pudores, ha tiempo que la pasión del ciego érale conocidísima.

Dobló Hipólito su cabeza, sobre el pecho, y por toda respuesta a la concreta pregunta del lazarillo, encogióse de hombros por no poder medir la intensidad de su amor, cual se encogería de hombros el marinero a quien pidiesen el número de todas las olas o el astrónomo a quien pidiesen el de todas las estrellas. Y abrió sus brazos, desmesuradamente.

—Háblame de su cuerpo, Jenaro —murmuró Hipólito sin alzar su rostro, al cabo de prolongado silencio de ambos—, ¿cómo es?...

—Su cuerpo sí que no lo conozco pa'decirle a su mercé cómo es... Cuando se viste de catrina y que se va por ai, al tiatro o a cenar con los "rotos" esos del Clú, la veo más alta, ¡palabra!, como si creciera un jeme de los míos... ¡tiente usté! (acercándole su mano abierta), la cintura se le achica y el seno se le levanta... ¡ah!, las caderas le engordan y se le ven llenotas, pero nada más; el abrigo y el vestido la cobijan mucho... Cuando hay que verla es cuando no sale y se queda con ese ampón que le dicen bata...entonces se señala toditita... sentada, se le ven los pies chicos, chicos... también como los míos (tentándoselos para rectificar)... y las piernas, que cruza y campanea, son muy bonitas, patrón, delgadas al comenzar, no crea usté, y luego, yendo pa' arriba, gordas, haciéndole una onda onde todos tenemos la carne, atrás... siempre lleva medias negras muy estiradas y que le relucen, sin una arruga... Hasta ai le he visto. Ora ¿quiere usté que le siga diciendo lo que se le señala más y lo que más le estrujan sus marchantes cuando la jalonean y se la sientan en las piernas, allá en la sala?... ¿No se enoja usté?... ¡Pues es su se-no, patrón! —deletreó Jenaro, bajando su voz todavía más, cual si solamente en tan apagado tono deban mencionarse las partes ocultas de nuestros cuerpos—, es su seno que le abulta lo mismo que si tuviera un par de palomas echadas y tratando con sus piquitos de agujerear el género del vestido de su dueña, pa' salir volando... allí están, en su pecho, y nunca se le vuelan, se le quedan en él, asustadas, según veo yo que tiemblan cada vez que las manos de los hombres como que las lastimaran de tanto hacerles cariños...

—¡Ya! —rugió Hipólito enderezándose—, ya no me digas más porque te pego... ¡Ya veo a Santita, ya la vi, y bendigo a Dios porque soy ciego y no he de verla como la miras tú!

A partir de esa noche, no volvió el músico a pedirle a Jenaro amplificaciones o retoques en el retrato de Santa; en cambio, tampoco volvió a reír cual solía, faunescamente, al escuchar cuando tocaba sus danzas en casa de Elvira, cómo los parroquianos, excitados, palpaban los encantos de las mujerzuelas. Ahora permanecía inmóvil, pegado a su piano y pensando en sus amores maldecidos.

—Santita —decíale las ocasiones, rarísimas ya, en que érale dable charlar con ella en el relativo apartamiento que antaño le hiciera dichoso y cobrar esperanzas locas—, Santita, ¿en qué ha parado su proyecto de "comprometerse" con aquel señor Rubio? ¿Se acuerda usted? Se me figura a mí que él no quita el dedo del renglón, ¿o sí?... Piénselo usted, Santita, piense usted en que es un caballero y en si le afirma que la quiere, por algo ha de afirmárselo... —y se azoraba de que Santa, con sus naturales perspicacias, no reparara en el dolor inmenso que a él representábale enco- miar a un rival de segundo término, de preferencia al tore- ro triunfante, y, por ello, el más odiado.

Vaya, la propia *Gaditana*, apasionada igualmente de Santa por efecto, no de una perversión, sino de una perversidad sexual, luengos años cultivada, poníanlo en menos atrenzos que el "diestro"; primero, porque Santa abominaba de la práctica maldita y era remotísimo que al fin en ella diera; y segundo, porque aun en ella dando, a Hipólito no le producía la tal celos propiamente dichos, producíale más bien indulgencia y risa, con su poquito de seguridad de que Santa, entonces, aborrecería a los hom- bres y sería fácilmente curable, como se cura a los rapaces que comen tierra u otras porquerías sólo amenazándolos con un dedo.

Esta pasión de la *Gaditana* hacia Santa, no era un miste- rio para ninguna de las de la casa, y si Hipólito se hallaba interiorizado debíase a que las muchachas y Pepa y Elvira, reputábanlo por "de la familia", y a que Santa le despepitó la ocurrencia desde que ella apuntó:

—¡Hipo!, ya no aguanto a la *Gaditana*. Figúrese usted que está empeñada en que yo la quiera más que a cualquier hombre, ¿se habrá vuelto loca?... Toda la mañana se la pasó en mi cuarto sin dejarme levantar, arrodillada junto a mi cama y besándome todo mi cuerpo con unos besos rabio- sos, como jamás he sentido, ¡y usted calculará si me han besado!...

Era el vicio antiguo, el vicio ancestral y teratológico que de preferencia crece en el prostíbulo, cual en sementera propicia en la que sólo flores tales saben germinar y aun adquirir exuberante lozanía enfermiza de loto del Nilo; era el vicio contra la naturaleza; el vicio anatematizado e in- curable, precisamente porque es vicio, el que ardía en las

venas de la *Gaditana* impeliéndola con voluptuosa fuerza
a Santa, que lo ignoraba todavía, que quizá no lo practica-
ría nunca, contentándose, si acaso, con probarlo, escupir y
enjuagarse, según escupimos y nos enjuagamos cuando por
curiosidad inexplicable y poderosa probamos un manjar
que nos repugna.

—¿Después?... nada, que la *Gaditana* se acostó en mi
lugar y se tapó con mis sábanas a pesar de hallarse vestida; y que, conforme yo arrojaba al suelo mis ropas, para
mudarme de limpio, ella se agachaba a recogerlas y las
besó, Hipo, las besó como si fueran las de un amante
o como si fueran reliquias... ¿Qué será eso, Hipo, usted lo
sabe? ¿Lo sabrá Pepa?... ¡Yo no sé qué pensar!... ¿Le pego
por sucia o le aviso a Elvira para que la cure? ¡A ver, de-
cida usted!

—Santita—exclamó Hipólito sonriendo y tocando con
su mano izquierda algunas notas del piano—, ¿es posible
que no sepa usted qué busca la *Gaditana*? ¿Ninguna de las
muchachas, ni Pepa ni Elvira, le han hablado a usted de
eso?... Yo creía que usted lo sabía ya y que se prestaba,
estoy seguro de que las muchachas creen otro tanto, ¿sabe
usted desde cuándo? Desde que la *Gaditana* se convirtió
en su profesora de danzones y a nadie toleraba que la en-
señara a usted a bailar... ¿no le llamó a usted la atención
entonces? ¿No sospechó usted algo?

—¡Pero qué es lo que había de sospechar, hombre de
Dios, si ahora mismo no sé de lo que se trata!... No se ría
usted, Hipo, que usted sí sabe que esta es la hora en que no
acostumbro a decir mentiras... ¿qué es?

—¡Pues eso, Santita, es amor, aunque no lo parezca!...
¡Sí, amor es, no se aturulle usted ni se figure que es a mí
ahora a quien le falta un tornillo... Es amor contrahecho,
deforme, indecente, todo lo que usted quiera, pero amor
al fin! ¡La *Gaditana* se ha prendado de usted!... No todos
los amores ni todas las criaturas nacen lo mismo... véame

usted a mí, despacio, si es que no lo ha hecho antes, y verá que de puro feo espanto, y ¡caramba, Santita!, mi palabra de honor que yo no tengo la culpa y que si llegan a tomar a tiempo mi parecer, habría salido un primor, o siquiera feo común y corriente, pero con ojos que vieran sin esta ojtal... ojtal... ojtalmía purulenta, que, me lo aseguró un médico, es la responsable de que yo ande a oscuras.

—¿Amor, Hipo, se llama amor?...

—Sí, Santita, así le dicen los inteligentes... pregúnteselo usted a ese borrachín que nos visita y que hace versos; amor de nombre, y de apelativo... el de una señora que se tiró al mar hace muchos años, como cinco mil...

—¿Es decir, que a mí me ama una mujer?... ¡Puah! ¡Hipo, me da basca, y donde insista la tal *Gaditana* le daré a probar mis manos y le quitaré el hambre que tiene, con una tunda, de probar a lo que sabe mi cuerpo!... Que me quieran los hombres, norabuena, pero...

—¡No, los hombres no, Santita —la interrumpió Hipólito, abandonando súbitamente el tono zumbón de la plática—. Los hombres no!... Conque la quiera a usted un hombre, uno nada más, pero hondo, hasta los huesos, hasta después de la muerte, un hombre que no le eche a usted en cara lo que es usted, y por usted viva; un hombre que la adore y que la abrace y la defienda y la sostenga; que se enorgullezca de que usted le paga con un poquito de cariño, un poquito, una miseria, su idolatría tan grande; que la ponga por encima de las estrellas y se la incruste en el alma, le vele el sueño, le adivine el pensamiento, y así le diesen más años que a Matusalén, pocos se le hicieran para seguir queriéndola, ¡ay, Santita!, entonces sí que conocería usted la gloria en vida y no volvería a saber para qué sirven las lágrimas ni lo que son las penas, las tristezas, las vergüenzas y los arrepentimientos...

—Hipo —dijo Santa enseriada también—, ya hay un hombre que me ofrece cosa parecida.

—¡Ése— le observó Hipólito— no lo cumplirá, no y no! Es demasiado dichoso, lo mima la suerte, y de lo que usted ha menester es de un desgraciado, de uno que solamente conozca el reverso de la medalla, ¿me entiende usted?, y que al ser aceptado por usted, se considere favorecido y no favorecedor... Ya que usted reconoce que por desgracia suya está muy abajo. No intente usted asirse de la primera mano que le tiendan de arriba y que puede cansarse o soltarla a usted, a lo mejor... Usted inclínese, busque por entre sus pies, y con lo que tropiece, confórmese... levántelo usted, Santita... levántelo y váyase a cualquier parte, cerca o lejos, es igual..., lo indispensable es que la quieran a usted mucho por fuera y por dentro, y no que uno se la lleve por capricho, otro por vanidad, otro porque usted le gusta como hembra de placer, y nadie por usted entera, limpia o con manchas, como es usted...

—¿Y dónde he de hallar a ese hombre, Hipo? —demandó Santa impresionada a su pesar y sabiendo previamente lo que le contestarían.

—¿Dónde, Santita...? —repitió Hipólito sofocado, poniendo sus dos manos en el teclado, mas sin hacer sonar una sola nota—, pues vea usted, se lo voy a decir aunque se ría, que no se reirá, no, ¿por qué había de reírse...?, y se lo voy a decir porque sé que usted quiere ya a otro, a ése de que hablábamos, y con él se irá... ¡Lo veo, lo veo con estos ojos que no ven nada...!, se lo voy a decir, porque es preciso que usted lo sepa y porque ya me ahogo con mi secreto... ¡Santita!, arrímese usted, que no nos oigan... ¡Santita, ese hombre soy yo...!. yo que valgo menos que un gusano, que como gusano horrorizo y que como gusano he de ir siguiéndola y siguiéndola por donde quiera y con quien quiera que usted vaya... Yo, Santita, sólo yo, el único que encontrará usted siempre dispuesto a...

—¡Jinojo! ¡Hipo, toca el piano y déjate de marear a Santa! —gritó la *Gaditana*, furiosa de lo que el coloquio se prolongaba.

Y el músico tocó excepcionalmente inspirado; y Santa, sin chistar, sentóse en el más oscuro rincón de la sala estiradas sus piernas, la cabeza en el respaldo de la silla, colgantes los brazos, la mirada en el techo y su mente pensando, pensando, pensando...

Con dos parroquianos cualesquiera que por la puerta asomaron, despabiláronse las chicas, calló Hipólito y se incorporó Santa. Los parroquianos eran de cerveza, y bien servida, sin exagerar la espuma en los vasos ni escamotear las botellas antes de concienzuda ordeña; dos individuos que iban a lo que iban y que defendían sus dineros.

Hipólito llevaba rato de haberse vuelto de cara a la reunión, girando en su asiento de bejuco. Y su fealdad, su rostro comido de viruela, con sus horribles ojos blanquizcos de estatua de bronce sin pátina —que resistían impávidos y muy abiertos la luz de los quinqués de la araña del centro—, destacábase del fondo negro del piano, cual se destacan de las pinturas de los biombos y de los esmaltes de las lacas los rostros espantosos de los bonzos japoneses. Púsose Santa a contemplar su fealdad, detenidamente.

De improviso, Eufrasia, la criada, que raras ocasiones aventurábase hasta el salón, entró colérica, dirigiéndose a Pepa:

—Doña Pepa, ahí están los agentes y dicen que vienen de orden superior; ya me canso de repetirles que no son éstas las horas de presentarse, que las muchachas están ocupadas, que vuelvan mañana. ¡No se separan de la puerta!

—¡Déjalos que entren, borrica! —le indicó Pepa con el aplomo de quien sabe sus negocios en perfecto arreglo y sabe, además, que dádivas quebrantan peñas, sobre todo peñas así deleznables y fáciles.

Son los agentes de Sanidad. El último peldaño de la pringosa escala administrativa. Estriban sus atribuciones en vigilar que las sacerdotisas de la prostitución reglamen-

tada municipalmente, cumplan con una porción de capí-
tulos, dizque encaminados a salvaguardar la salud de los
masculinos de la comuna. Y como a la vez disfrutan de
cierto carácter de policías, es de admirar, en lo general, el
sinnúmero de arbitrariedades que ejecutan, los abusos y
hasta las infamias que suelen cometer a sabiendas, arrean-
do a la prevención con señoritas honestas, pero desvalidas
y mal trajeadas que resultan inocentes del horrendo cargo
de prostitutas y a quienes se despide con un: "Usted dispense", que vale oro. En cambio, cuando las profesionales
les untan la mano —que al fin y a la postre esta vida es
transitoria, inestables los bienes terrenos y hay que acapa-
rar éstos para conllevar aquélla—, pasan inadvertidas las
infracciones mayores; salvo el caso en que un alarde de
incorruptibilidad les prometa, a la larga, beneficios más
pingües.

—¿Vendrán por mí, Hipo? Hace dos semanas que no
paso registro...

—¿Por usted, Santita —exclamó Hipólito en el colmo
de la estupefacción—, ¿por usted...? ¡No sea usted ocurren-
te! Primero cargarían con la casa entera, hasta con los muebles y conmigo, que con usted. Será algún chisme o alguna
urgencia de que los gratifique Pepa... ya sabe usted lo que
abusan de su oficio.

Las demás mujeres, sus libretas en orden, tendían distraídamente la oreja al dilatado parlamentar de Pepa, que
comenzaba a incomodarse; desde la sala veíase que accio-
naba mucho, que ofrecía algo. Oyéronse fragmentos del
asunto:

—Pero, Saucedo, qué pesadez... esto lo arreglo yo mañana... guárdese este papelucho, ¡demonio!, no es cohe-
cho, es regalo... Si no puede ser, le digo a usted que no... Es
que se le olvidó a ella, y a nosotras también... ¿no?... pues
va usted a arrepentirse...

—¡Eufrasia! —gritó luego—, ¡ve a traer un coche y dile
a Elvira que baje!... ¡Santa, ponte el mantón!

Aquello fue un derrumbamiento, Hipólito empalideció más aún que la misma interesada; las compañeras de Santa se arremolinaron en la puerta para cerciorarse de que fuese verdad que se llevaban a la joya de la casa; a la *Gaditana* hubo que sujetarla, porque en furia convertida, vomitaba sapos y culebras contra los impasibles "agentes", que no desamparaban el zaguán.

—¡Canallas! —masculló Hipólito, sintiendo a Santa a su lado—, prométales usted más dinero, Santita, ¿qué ha de hacer usted?

Todo en balde. Los agentes, muy crecidos dentro del odioso ejercicio de sus funciones, no cejaban un ápice; ni por cien pesos habrían abandonado su presa, por orgullosa codiciable, y a su entera merced en lo futuro, después de este susto mayúsculo.

—Fíjense ustedes —les explicaba Hipólito aparte y con solemne entonación—, esta mujer disfruta de unas amistades tan empingorotadas que hasta los empleos de ustedes peligran... háganse los tontos y en su salud lo hallarán, yo sé lo que les vendo. Y meneaba sus cejas, cerraba sus párpados para ganárselos, como si mirara.

Impuesta Elvira de la novedad, no le dio importancia, auguró un pronto y favorable arreglo:

—Id a la comisaría Pepa, y nada temáis, son humoradas de este Saucedo...

Mozas y filarmónico contagiáronse de la confianza del ama. Indudablemente había error y Santa y Pepa regresarían en breve. Y la casa toda reiría de su alarma.

Por exceso de precaución, Hipólito mandó a Jenaro a la comisaría:

—¡A ver cómo te las compones para espiar, y si notas síntomas graves, volando a avisarme!...

Con Elvira a la cabeza, el funcionamiento regular del negocio siguió su marcha. Volvieron a sonar el piano y las risas de las chicas; volvieron a oírse los taponazos de las botellas descorchadas y las exigencias de los clientes; solamente Santa no volvía, a pesar de lo mucho que la deseaban dos o tres prójimos arrellanados en los sillones y costeando cervezas a las otras, para matar el tedio de la espera. Elvira engañaba a estos últimos, por separado:

—Santa tardará, se halla en su cuarto con un señorón, no te creas... ¿Por qué no vas con la Mengana? ¿No te gusta?...

Sí, sí, todas eran bonitas, jóvenes, preciosas, pero todos querían a Santa; todos optaban, en su deseo insaciado, esperar mansamente, sentados en la sala grande. Las muchachas explotaban la espera; hacían gala de sus atractivos escogiendo con admirable instinto a los más fogosos, que al fin decidíanse por el cambio y se marchaban resignados con la que les quedaba a tiro, empujados por Elvira y por sus propios apetitos bestiales, empujados por el piano que no cesaba en sus armonías obscenas, empujados por la casa entera que respiraba inmunda lujuria fácil.

—"¡Bah!, nos sale lo mismo, Santa será otra vez". Persistieron los menos, uno o dos que ya se tenían ofrecido estar con Santa y nada más que con Santa:

—"¡Elvira, unas cervezas y a estas niñas lo que apetezcan!"...

Y Elvira echaba viajes, de la sala a la puerta de la calle y de la puerta de la calle a la sala. Hasta que avistó a Jenaro a escape, con su sombrero de palma entre las manos para correr más ligero.

—Le gané al coche, ¡caracho! —dijo jadeante—. Ahí viene ya doña Pepa, sola; la niña Santa, presa, se la llevan al hospital... —y se enjugó el sudor del rostro con la manga de su camisa que, por rota, colgábale a manera de deshilachada estola.

En un instante, Elvira inventó una historia para despedir a los obstinados que aguardaban a Santa y salvar con el crédito de la pupila, el de la casa. Santa habíase salido a cenar sin aviso.

Hipólito requirió su sombrero y su cipión, y sin atender razones, salió en medio del pánico que la noticia tenía producido:

—¡Condúceme a la comisaría, Jenaro, vivo!

En la puerta lo detuvieron Pepa y el *Jarameño* que venían juntos por acaso. Llegaba el *Jarameño* a su visita diaria, a punto que Pepa se apeaba del carruaje; saludáronse en la acera, y en el trayecto, costeando el jardinillo, de pronto, la trascendencia; ¿de qué se alarmaban...? Mas no bien Pepa se lo detalló con sombríos colores, cargando la mano, era la cárcel, el hospital, el encierro y el sufrimiento, cuando el torero comprendió, y como quien se desnuda de un disfraz que ya carece de objeto, puso de manifiesto su amor hacia Santa:

—Yo no entiendo de estos infundios de justicia ni me agrada meterme con la autoridad, ¡me caso con la Biblia!, pero como haya alguien que me lleve donde Santa esté, la saco porque la saco, ¡recorcho!, no digo yo...

Elvira y Pepa, sin recordar lo que en la casa se sonaba respecto de la pasión del músico —pasión reputada de inofensiva y pasajera, de embeleso de viejo prostituido—, lo designaron con un simultáneo gesto expresivo.

—Aquí está Hipo, *Jarameño*, que sabe hasta dónde penan las ánimas... ¡Hipo, anda, lleva al *Jarameño*!...

¡Ah, el movimiento repulsivo de Hipólito, la crispatura de todo su ser, por dentro, al oír la inhumana orden! ¿Él, él había de llevar al rival detestado, execrado, aborrecido? ¿Él había de servir de instrumento para que el torero se adueñara de Santa? Fue una lucha brevísima, de segundos, que a él le resultaron interminables, como siglos.

—Vamos, lo llevaré yo en el coche; que Jenaro se suba al pescante para que me encamine después...

Ni él ni el *Jarameño* hablaron palabra dentro del vehículo que los conducía lado a lado. Se codeaban a causa de los tumbos y se alejaban a causa de la voluntad. Y se establece una momentánea corriente de odio homicida; rétanse las miradas, empalidecen las fisonomías; un minuto más y aquello estallaría, mataría, aniquilaría... Es el odio por el amor, el odio incurable y eterno, ¡es el odio antiguo!

No estaba el inspector; aquella noche tocábale la guardia al secretario de la inspección, un sujeto pasablemente altanero y soñoliento, de edad inapreciable, barba sin afeitar, bufanda de estambres al cuello, y adherida a la frente, para librarse de los reflejos de las ampolletas eléctricas, una de esas viseras de cartón que se sujetan con alambre y que usan los relojeros, los grabadores y los enfermos de la vista. Leía un impreso.

—¡Caballeros, mú güenas! —exclamó el *Jarameño* al entrar en el despacho y pegarse a la reja de madera que aísla del público a los empleados y divide la habitación en dos porciones.

—¡Primero quítese el sombrero, amigo, que está usted en la oficina! —le espetó en desabrido tono un escribiente que se acercó a la misma reja a averiguar qué le ocurría a ese personaje de trenza.

—Pues verá uzté —comenzó el *Jarameño* descubriéndose de mal talante y remontándose la coleta con el ademán peculiar a todos los toreros cuando se retiran el calañés—, sucede que unos agentes de... del orden serán, digo yo, se han traído aquí a una muchacha más sana que un albaricoque maduro... y esto es lo que a mí me parece que no está en el orden, porque...

—¡Hombre, el *Jarameño*! —exclamó el secretario reconociéndolo con júbilo, por ser gran aficionado a las corridas de toros. E interrumpió su lectura, se levantó del pupitre y se aproximó a la reja.

El *Jarameño*, por pronta providencia y según uso y costumbre en los toreros que, al oírse llamar vuélvense sonrientes al rumbo de donde parte la voz, se volvió sonriendo hacia esa cara semiencubierta por las sombras de la visera.

—Pase usted, hombre, pase usted adelante. ¡Qué casualidad, eh!... Yo con ganas de conocerlo a usted de cerca, y usted presentándoseme!... Pase, pase, hablaremos aquí en la otra pieza, sin que nos estorben los que vengan... Raro es que esté tan solo... ¡Cedillo, dele vuelta a la luz!

Y luego que Cedillo iluminó la estancia contigua, el secretario metió en ella al *Jarameño* muy inflado desde que palpó que lo conocían y lo alababan.

—Vaya, *Jarameño*, palabra que me alegro de conocerlo... siéntese... ¡le voy a ofrecer un tequilita, pero legítimo, de la viuda de Martínez!... ¡Para las desveladas, *Jarameño*, para las desveladas... de día, por nada le pruebo a usted el licor! —explicaba el secretario sacando de debajo de la papelera unas copas empañadas, una botella y un salero. Esto se toma con sal, para que no se trepe... sí, sí, la sal primero, en la lengua, eso es... ¡a su salud!

El *Jarameño*, urgido y en el fondo amedrentado de hallarse en dominios de la policía, soltó su pretensión. Iba por Santa, respondía por ella, pagaría lo que fuese, la presentaría cuando se lo exigieran, pero que no durmiera allí...

—¡Mi querido matador, llegó usted tarde! Santa ya duerme en el hospital Morelos.

El "diestro" se levantó, blasfemando entre dientes. Marchábase a sacarla de ese hospital en seguida; ¡lo que es Santa no pasaba la noche en hospital ninguno, ni en ese hospital Morelos ni en el de la santísima peineta!

Detallándole con benevolente superioridad lo intrincado del engranaje administrativo, lo calmó el secretario; desde luego, en el hospital no le abrirían por ninguna de estas nueve cosas, y menos le tolerarían, no ya sacar a Santa, ni mirarla siquiera, era una temeridad intentarlo.

—¡*Jarameño*!, parece mentira... Al tocar segunda vez, me lo pepena a usted un gendarme, o dos, o veinte, y me le zampan en chirona... ¡No sea usted pólvora, hombre...! En cambio, y si usted me promete no divulgarlo, yo le doy una receta para que mañana saque usted a Santa, así esté más enferma que qué...

Lo interrumpió un ruido complejo, de gente que penetraba en la oficina y gente que penetraba en el patio.

—Señor secretario —dijo Cedillo entreabriendo la vidriera—, una niña con lesiones, hay bastantes consignados y un herido.

—Voy, Cedillo, voy, despierta al practicante... ni hablar lo dejan a uno (quejándose con el *Jarameño* después del mutis con Cedillo). Pues sí, va usted mañana y ofrece retirar a Santa de la prostitución, porque la hace su querida, fíjese bien, *Jarameño*, ¡su-que-ri-da...!, le afloja usted la plata a un mediquillo que se comprometa a curarla, caso que esté enferma, ¡naturalmente!, y carga usted con su prenda a donde le pegue su real gana... ¿Qué tal el remedio...?

—¡Adiós inocente!... el malestar que proporciona cualquier borrachera y que usted ha de haber padecido a millones... ¡Ah!, antes de separarnos, dígame si es cierto que son españoles los toros que va usted a matar en su beneficio y el precio que fijarán a las localidades de sombra.

—¡Pa uzté, gratis, gachó, yo le orsequio la suya! Los animalitos son de Veragua, pero paecen dotores de Salamanca, por er sentío, er poder y las mañas... ¿Por dónde me las guillo, camará, que uzté está de prisa y yo también?

Abrió el secretario la puerta que daba al patio, con tan mala suerte que se toparon con la camilla en que el herido agonizaba y el *Jarameño* hubo de costearla, para escapar.

Tan impresionado salía, que entendió a duras penas lo que le contaba el "cabo de puerta" al franquearle el zaguán:

—El ciego que venía con usted se marchó en cuanto supo que la mujer ésa ya no estaba aquí. Le dejó a usted el coche.

Punto por punto realizóse al siguiente día, en el hospital, lo predicho por el secretario de la comisaría; excepción hecha de que no fue posible, sino hasta el atardecer, el libertar a Santa. El Jarameño, mirándola de lleno, declaró bajo su firma que era su "querida" y que la retiraba de la prostitución. De aquí la tardanza, llenando diversas exigencias oficinescas: el hospital, la sanidad, el gobierno del distrito, ¡quién sabe cuánto más!, que el torero satisfizo yendo y viniendo carruaje arriba y carruaje abajo. Y cuando se la dieron, cuando el "simón" arrancó con ellos, de tal modo estaban ansiosos el uno del otro que, sin hablarse, sin esperar soledades ni apartamientos, por recíproca necesidad contrariada que estallaba al fin imperiosa, soberana, se buscaron sus labios, aproximáronse sus cuerpos y se dieron un mudo, prolongado, de abismo, que los forzó a cerrar los ojos y a dilatar la nariz, para no ahogarse, y a rechazarse luego, con los brazos rígidos, para no enloquecer de deleite.

—¿Lo ves, mi Santa, lo ves cómo eres mía? ¡Sosténme ahora que nunca... guasa! —suspiró enronquecido el *Jarameño*.

Santa se le acurrucó en el cuello y lo ciñó con sus brazos, voluptuosamente.

—Tú sí que eres mío, ¡tonto...! Todo, todo, ¿no ves cómo te abrazo?, ¡más que tú!

Y olvidados de cuanto les circundaba; de lo que acababa de acontecerles y de lo que les podría acontecer; cogidos de las manos charlaban de sí mismos, de lo que harían, un plan vasto de ventura inacabable. Santa no debía un centavo en casa de Elvira, era libre; recogería su ropa, ¡eso sí!, y sus alhajas, ¡ya lo creo!, despediríase de sus compañeras, las que se quedaban esclavas presas, con las que había arrastrado la propia cadena... ¡Pobrecillas!, ahora le despertaban lástima profundísima, pero ¿qué se iba a hacer...?, suponiendo que a las de Elvira esa noche las libraran amantes repentinos, de quiméricos rumbos llegados, quedaban otras y otras; las de las casas vecinas, las de las casas lejanas, las de casa particular y sola, la legión formidable, pululante, que no ha de extinguirse... la brigada que resiste embates, persecuciones, atropellos, crueldades y afrentas sin flaquear, apretando sus filas compactas, sin detenerse a levantar heridos ni a sepultar muertos. ¡Allá va la ronda victoriosa, a paso de carga, sin más escudos que sus pechos, sin más armas, porque son el Amor y el Deseo, la Tentación y la Carne!

A causa de las despedidas, del arreglo de baúles y del incesante convidar del Jarameño, que no cabía en sí de gozo, no se percataron del correr de las horas; y a la de reglamento, presentóse Hipólito. No una, todas las mozas apresuráronse a comunicarle la sensacional noticia.

—Hipo, el Jarameño se saca a Santa, esta misma noche se largan juntitos...

—¡Pobre de ella y dichoso de él —replicóles sentenciosamente el ciego, que desde los sucesos de la víspera tenía previsto tal desenlace, ya que desde mucho antes tenía advertida la mutua pasión que en vano trataban de combatir y ocultar la chica y el torero.

Allá en su cuarto, había llorado todo lo que humanamente es posible llorar, testigo, Jenaro, que a pesar de su sueño de piedra y de su perrería, le dijo más de una vez:

—"Amo, ya no llore usted así, que se le va a acabar lo que le queda de ojos..., duérmase usted..., descanse..."

Ya en la plazuela, mientras Elvira decíales adiós, sonó el piano, y estremecióse Santa. Era tan feliz que hasta entonces se acordó del ciego y de lo que el ciego la adoraba.

—¡Elvira! Despídame usted de Hipo esta noche misma, ¿quiere usted?

—Sí, mujer, vete tranquila, que bastante que hipará el desgraciado al saber que te has ido...

El *Jarameño* por delante llegó él primero al carruaje y abrió la portezuela.

—¡Anda, gloria, que es mu tarde! —gritóle radiante, hambriento de ella, su afeitada cara macarena iluminada por un farol del coche.

Reuniósele Santa, mas antes de entrar en el vehículo volvióse a mirar al burdel, que semejaba una casa que ardiera.

—¿Qué ves tanto, mi Santa? —le preguntó el *Jarameño*, ya instalado en un asiento del carruaje e inclinándose hacia fuera.

—¡El fuego!, mira, ¡parece que arde la casa!...

Sí que ardía, pero ardía como de costumbre, en bestial concupiscencia y nauseabundo tráfico. Las llamas de lascivia, que hasta sus recintos empujaban a los hombres en su continua brama de seres pervertidos, habrían podido salir y ocultar el edificio para hacer efectiva la visión de Santa...

Pero no, al través de los apagados cristales, cruzaban de tiempo en tiempo sombras imprecisas. Abajo, en la sala de los que bailaban al compás del piano, y arriba, en las alcobas, de las bacantes que se desnudaban y de los sátiros degenerados que las perseguían.

—Ven, Santa —insistió el torero rendidamente—, que yo sí que ardo de impaciencia por quererte... ¡ven!... ¡ven!...

Recuperado el sentido de lo real, Santa miró de nuevo a la casa con melancólico cariño ahora; que así miramos to-

dos —por homicida, ingrato e infame que sea— el puerto
que se abandona y que sin embargo nos dio abrigo cuando
a él nos arrojaron, en forzosa arribada, las implacables tempestades del mar o las despiadadas tempestades de la
vida...

—¡Ven, Santa! —imploró el torero tendiendo sus brazos—, ¡ven conmigo!

Y Santa fue a él.

SEGUNDA
PARTE

Capítulo I

—**P**ues lo que yo les aseguro a ustedes es que están bebiendo infusión de párpados.

—¡Hombre, Ripoll, no sea usted cochino! —gritáronle a coro sus compañeros de mesa, que enfriaban el té de sus tazas con las cucharillas respectivas.

—¡Se gasta usted unas bromas...! —añadió indignado don Mateo, el de la casa de préstamos.

—¿Bromas...? —insistió Ripoll, entre serio y zumbón—, ahora verá usted sus bromas. Y se levantó del asiento, con servilleta y todo, metiéndose en su cuarto a oscuras, y los demás oyeron cómo frotaba un cerillo, dos veces, y cómo revolvía papeles.

Triunfante regresó a la mesa, armado de un libro a la rústica que depositó encima del mantel, defendiéndolo con la mano extendida:

—Ahora lo oirán ustedes, nobles hijos de Pelayo, ahora oirán lo que dice un francés traducido en mi Barcelona, o lo que es lo mismo, fuera de España...

—No se ofenderá su pudor, doña Nicasia, escuche usted también... ya estamos en el macho, ¡no interrumpirme...!

Y luego de pegar una larga chupada al cigarrillo y pasear una mirada olímpica por las cabezas de su auditorio, comenzó a leer:

—¡Leyenda del té! "Dharma, un asceta en olor de santidad en la China y el Japón, prohibióse el sueño, considerándolo acto placentero y por todo extremo terrenal. Una noche, sin embargo, se durmió y no despertó hasta el amanecer siguiente. Indignado contra sí mismo por esa debilidad, cortóse los párpados y los arrojó lejos de sí como pedazos de carne flaca y vil que le impedían alcanzar la sobrehumana perfección a que aspiraba. Y esos párpados ensangrentados echaron raíces en el sitio en donde cayeron, en el vivo suelo, y un arbusto nació dando hojas, que desde entonces cosechan los habitantes, y con las que hacen una infusión perfumada que destierra el sueño..."

Nadie, lo que se llama nadie aplaudió la lectura o demostró siquiera el menor interés. La voz de Ripoll perdióse en la más absoluta indiferencia y la poética leyenda en el más perfecto vacío, tanto que el cura carlista don Práxedes Luro, que llevaba fabricadas unas veinte bolillas de migajón de pan con las que se distraía en la mesa lanzándolas contra un vaso vacío, le soltó sin mirarlo:

—Amigo Ripoll, ¡esto ha sido una plancha superior!

Ripoll, medio amoscado, los bombardeaba con improperios, en son de guasa:

—¡Ignorantes! ¡Salvajes! —Nunca sabréis nada más que atesorar ochavos... la culpa me la tengo yo, ¡pollinos...!, no lo digo por usted, cura, lo digo por estos compatriotas suyos, ¡mamarrachos...!

Reían los aludidos más fuerte, camino de sus habitaciones, y el cura apercibíase en el huequecillo menos tuerto del sofá del gabinete a descabezar un sueño, en espera de la partida de mus que noche a noche emprendía con Mateo Izquierdo, el socio de la casa de préstamos de la calle de las Verdes; con Anselmo Abascal, el dependiente de La Covadonga, gran camisería de la calle del Espíritu Santo; y con Feliciano Sordo, quien, aunque declaraba ser minero arruinado de San Luis Potosí, donde había dejado energías, juventud y caudales —según él—, pagaba puntualísimamente su pupilaje, no le faltaba jamás media docena de duros, usaba reloj de oro y era el único que bebía en la mesa Carta Blanca, de Monterrey.

Escuchando a doña Nicasia, cuando se ponía a devanar el ovillo de su vivir, antes inspiraba respetos y simpatías: decíase —quizá para no romper con la tradición peninsular en la clase de patronas de principios— viuda de militar muerto en la manigua de Cuba, en el 81, por bala de negro insurrecto; muy lentamente soltaba sus apellidos, era Azpeitia de Flores, de los Azpeitia de Calatayud, y su marido, de los Flores de Segovia; aseguraba tener parientes linajudos, ¡hasta en la "grandeza"!, por parte de madre, que se oponían al casorio con Flores, teniente de *Cazadores de Vigueras* por aquel entonces, pero ella que sí y que sí, enamorada como una loca, a todo dijo adiós y a América se vino, a esa América sin entrañas que tantas y tan dolorosas sorpresas guarda a los españoles decentes que se dignan sentar en ella sus reales. Y Cuba sabíasela de coro, especialmente La Habana, de la que contaba a sus oyentes, mezclándolo todo, maravillas y horrores; cómo recién llegado el matrimonio corrían áureos de peluconas, cómo después el comercio fue empobreciendo, y la ciudad, la gran ciudad comerciante y alegre fue entristeciéndose, y la isla entera, prodigiosamente rica y prodigiosamente indolente fue consumiéndose, consumiéndose hasta no ser ni la sombra de sí misma a causa de los endiantrados "laborantes", los tales insurrectos sin rey ni ley, ingratos, ingratísimos, que así la habían puesto y dejado, sin tabacales ni azúcares, sin "ingenios" ni bohíos, sin frutos ni flores, sin pobladores y sin oro; sus puertos melancólicos, sus ciudades silenciosas; sus campos tropicales, eriazos, incendiados, desnudos, bebiendo por igual, como sedientos insaciables, la sangre de los negros maldecidos y la muy noble sangre de los peninsulares que iban a ella por darle esplendor y lustre.

—Como nosotros, como mi infortunado Santiago, que no era un cualquiera, sino de los ¡Flores de Segovia...!

Cundía la indignación entre las filas de iberos domiciliados en los compartimientos de alquiler de doña Nicasia. Del cura carlista abajo, encendíanse todos en ira santa y vomitaban denuestos nada pulcros por cierto, peninsularmente libres, con impudicia de diccionario y amenazantes, tendían los brazos cerrando los puños, a los cuatro vientos, desde el manso fondo de la salita en que la tertulia efectuábase. Era el despecho amargo de los desafortunados; la perpetua maldición contra el antiguo continente hispano; el mal incurable de que adolecen los españoles que no enriquecen al poco tiempo de habitar países que todavía consideran mostrencos bienes.

Doña Nicasia, por su condición de patrona y por aragonesa y vecina de Zaragoza la invencible, no se dignaba terciar en la pelea; su persona y su Calatayud hallábanse a salvo, por encima de las diferencias de campanario, que, a las veces, arremolinábanse y pegaban en parte sensible. Curioso resultaba el recio reñir por una misma tierra, madre de todos los que combatían. Tirábanse a la cara con villorios, aldeas, villas, ciudades y provincias; los ríos, los bosques, las montañas y las producciones trasmutábanse en otras tantas armas arrojadizas, en otros tantos escudos, y los que momentos antes maldecían juntos de la pobre América, distanciados ahora, despedazaban el reino, plagábanlo de pecado y manchas, revolvíanse airados contra la patria que amaban.

Sólo dos huéspedes no intervenían en las tremendas y diarias disputas. Ripoll, el ingeniero catalán que se conceptuaba una entidad intelectual y moral, muy superior a las de sus paisanos, e Isidoro Gallegos, cómico sin contrata y huésped sin dineros con qué cubrir el módico importe de su pupilaje. Ello no obstante, su gracejo y experiencia hacíanlo más simpático de lo que era naturalmente, y su mala lengua, ¡vaya que la tenía mala!, hacíanle temible y peligroso. Las cuatro del barquero le soltaba al lucero del alba, y, por ciertas alusiones, doña Nicasia sospechábalo interiorizado de su enredo con Sordo. Teníaselo manifestado; todo eso no era más que perdedero de tiempo y hacerse mala sangre:

—Todos somos peores, sí señor, lo mismo los que vencen que los que hemos perdido con este viaje de los demontres a América, que ni nos llama ni maldita la falta le hacíamos... por vosotros lo digo, pues conmigo varía el asunto... yo vine por el arte, por el gran arte que vosotros no conocéis ni de nombre... Ni en Madrid ni en Barcelona, ni en ninguna parte se conformaba con que yo les hiciese sombra; porque se la hacía, ya lo creo que se la hacía, ¿quién se me atreve a mí en el "género chico"? Y aquí, en México, ¿quién es capaz de ponérseme delante ni en el grande...? ¡A ver, decirlo...! Por lo cual no me soportan y traman cábalas y me urden meneos y me tienen sin una peseta, ¿verdad, doña Nicasia, que nos tienen sin una peseta?, desmiéntame usted, ¡a que no...! ¡Pero vosotros...!, vosotros os tenéis la culpa por gandules, ¿queríais América?, ¿ambicionabais fortuna...?, pues ¡hala!, a los campos, ahí, en la tierra que ha menester de fatigas y sudores, de hombres que la violen y la fecunden: preñadla de trabajo y ella os parirá cosechas y cosechas que carezcan de fin, las últimas mejores que las primeras; y tras las cosechas, los pesos duros, y tras los duros las onzas y tras las onzas los caudales, la fortuna soñada...

—Usted, antes y mientras y después, ¡so desvergonzado!, puede irse a hacer... ¡gárgaras! —decíanle indignadísimos los aludidos, y el cura carlista, para anonadarlo, declaraba mordaz:

—Dejarlo, dejarlo que se desahogue, pobre, ¡es un histrión!

—¡Histrión, sí, a muchísima honra, cuidado conmigo, padre cura...! ¿Queréis otra receta? (vuelto a los demás),

¿queréis enriquecer por encantamiento y no trabajar ni un minuto sino raparos la más regalona de las vidas...?, ¿queréis "seguir la senda por donde han ido" —éste es un verso de... de... no me recuerdo de quién ni os importa tampoco, ¡es un verso superior!—por donde han ido tantos Sánchez y tantos Pérez y tantos López...? ¿Sí ...?, pues casaos con rica, y si es feúcha mejor que mejor; es una industria socorrida.

—¡Sablista!; querrá usted decir, eso sí que es *usté* —le soltaban a una el empeñero y el dependiente de La Covadonga, a quienes, en efecto, adeudaba unos reales, prestados hacía meses sin probabilidades de reintegro.

Isidoro entonces se escabullía, aún ayudaba a instalar la mesa del mus, y descolgando de la percha general del pasillo su cuaternaria pañosa zurcida a trechos, encaminábase al teatro, donde por compañerismo nada pagaba, y luego al café, y luego a las fondas nocturnas, ocioso y noctámbulo empedernido. Con su eclipsamiento entraba la casa en una quietud relativa, pues había que contar con las diferencias de los museros, los altercados que cualquier juego de naipes consigo trae, y entre jugadores latinos mucho más.

Iban a ser las once, se liquidaba, y a camita todo el mundo.

La Guipuzcoana, Gran Casa de Huéspedes Española —según rezaban el rótulo pintarrajeado de sus balcones y el letrero del primer descanso de su escalera—, como fragata de alto porte apagaba sus luces, cerraba sus escotillas y se arrebujaba en el silencio sin detener su andar, tripulada por aventureros, a los que no amedrentaba la lejanía de la costa, ni lo molesto de los tumbos, ni lo hambriento y traicionero de las olas que por igual mecen las ambiciones y los desfallecimientos, a los fuertes que a los débiles, las osadías y las desesperanzas.

Desde afuera, sólo una luz veíase brillar, cual de timonel que velara por la nave dormida. Y la apariencia no resultaba mentira completa: la luz era la del cuarto de Ripoll, que velaba, no por la nave guipuzcoana, sino por la suya propia, por el submarino que había inventado y venido a proponer en venta al gobierno de México.

Los inquilinos de La Guipuzcoana, doña Nicasia a la cabeza, respetaban supersticiosamente al ingeniero inventor, y a fuer de analfabetas para quienes guarismos, libros y palabras de alguna alteza adquieren alarmantes proporciones de maravilla, cobráronle miedo, ¡qué concho! Ripoll había leído mucho, soltábales vocablos en idiomas que ellos desconocían, abría libros de folio con mayor aplomo que el cura carlista su misal o su breviario, como un hechizado ejecutaba operaciones de aritmética, sí, a la memoria evacuaba las consultas de doña Nicasia a propósito de su gasto en el mercado o las de intereses y refrendos que Izquierdo, el empeñero, proponíale. Gradualmente, convirtiéndose fue Ripoll en el orgullo de la casa y destronando, en materias laicas, la autoridad adquirida por Práxedes Luro con la simple exhibición de su sotana. Ripoll era el sabio y era español, ¡por supuesto que era español!, y eso necesitaban, eso, "gachupines" así, que con sus saberes vinieran a civilizar a estos americanos y a proclamar la supremacía universal y absoluta de la península. Como por lo pronto el hombre anduviese escaso de fondos, doña Nicasia se le adelantó, después de una junta total de pupilos y del "visto bueno" de Sordo:

—Don Juan, lo que es por mí no se apure usted ni vaya a abandonar eso del submarino..., pero mientras, nada, que usted pide por esa boca y yo sirvo con la mejor voluntad, ¿estamos...?

Ya lo creo que estaba y que estaría hasta no realizar la transacción profetizada; sobre que el problema de su sustento corría parejas, por lo insoluble, con el de la venta codiciada. Se acostumbró a vivir a crédito. lo mismo que iba acostumbrándose a que en el Ministerio de Guerra y

Marina nunca lo recibieran. El triunfo consistía en tener paciencia, mucha paciencia, como doña Nicasia, que jamás le recordaba el incesante crecer del adeudo. Todos en La Guipuzcoana terminaron por interesarse en el invento, cuyo mecanismo, precisamente porque no lo entenderían en los siglos de los siglos, antojábaseles cosa del otro mundo que por remate habría de dar a cada uno honra y provecho.

Y un domingo, por unanimidad se bautizó el trebejo, de más valía que el Peral, con castañas y sidra compradas a escote. Pusiéronle Aragonés, en obsequio a la patrona y por indicaciones de Sordo.

El reinado de Ripoll, tan cariñosamente inaugurado, duró bastante menos de lo que él necesitaba que durase. Con el arribo del *Jarameño*, que se entró una mañanita con carta de recomendación, pesos y billetes a porrillo, copia de baúles y valijas, y un mozo de espadas, Bruno, más flamenco en decires, andares y hechuras que si en la propia Flandes lo hubiesen parido ("¡Soy andalú de Aracena, carcule uste...!", declaróle a la criada), se relegó a Ripoll a la indiferencia y el Aragonés al olvido. Atávica, étnicamente, volviéronse en masa al torero; impulsados por secreta fuerza irresistible se desvivieron por mimarlo y agasajarlo, cual si con él hubiera entrado en La Guipuzcoana milagrosa bendición, años y años codiciada. Poco tuvo que poner el *Jarameño* de su parte para ganarse unas voluntades que espontáneas y regocijadas a él se adherían. En lo que sí tuvo que andar con largueza fue en el capítulo de parneses, pues con perdón de doña Nicasia, su Guipuzcoana iba que volaba al abismo y a la bancarrota. El *Jarameño*, de buenas narices, olfateó apuros y les aplicó radical remedio: pagaría pupilaje doble siempre que se le cuidara como a mil, y por pronta providencia, anticipó un bimestre.

—Las cuentas claras, patrona, y el chocolate espeso. Corra usted el temporal con este dinerillo y a luego... pues lo correrá usted con otro.

Doña Nicasia gimoteó; Sordo estrechó enfáticamente la diestra del diestro; Gallegos lo aplaudió, hombreándose con él. "¡Bravo, compañero, así he sido yo toda mi vida!", el empeñero le sopesó los dijes de la cadena, y el resto de huéspedes radicóse en Babia. Ripoll almorzó en la calle y a regañadientes incorporóse a sus coinquilinos.

El *Jarameño* se entronizó; era el cuerno de la abundancia, fuente inagotable de gracejo y la alegría de la casa. Don Práxedes confesó francamente "que era mucho hombre"; el empeñero, "que lo adornaban magníficas prendas"; Gallegos nombróse a sí mismo perito catador de sus cigarros y puros; doña Nicasia sólo "hijo" lo llamaba, y todos a una adoptaron para tratarlo el honroso título que le prodigaban Bruno y los banderilleros y picadores de su cuadrilla, sus visitantes perennes: *maestro* denominábanlo y *maestro* denomináronlo la patrona y los huéspedes. Este noble dictado y la coincidencia de que por esos días, notificáronle a Ripoll en el ministerio que su submarino no ofrecía las condiciones apetecibles y no se lo aceptaban a precio ninguno, ni regalado. Mal encarado, sentábase a la mesa sin cortejar al *Jarameño*, y, a manera de desesperado, convirtióse en blasfemo y de pésimas pulgas; irascible, gruñón, agresivo, soltando palabrotas que a los otros les resultaban jeroglíficos y charadas amenazantes. Apenas si Gallegos lograba que hilvanara dos palabras.

—¿Por qué ya no nos cuenta usted las cosas tan interesantes que solía? —preguntóle el cómico en cierta ocasión.

—Porque yo sí que me volví anarquista de verdad, no como usted, que lo es de mentirijillas, y cualquier día cambio mi invento: en lugar de que vuele buques de guerra, ¡voy a hacer que vuelen ciudades y naciones íntegras!

—Pues no quiere usted *na*, gachó —terció el *Jarameño* benévolo—, ¿qué daño le ha hecho a usted tantísimo inocente?

—Un daño muy grande —respondióle al torero—. Usted todavía cree en los inocentes, a pesar de que la degollina del tal don Herodes acabó con la especie; yo creo en otras cosas; yo creo, por ejemplo, en que ustedes y yo y todo el mundo somos hijos del ¡antropopiteco...!

Y este monstruo primitivo remató la caída de Ripoll: doña Nicasia le indicó que necesitaba fondos; Sordo le retiró la mirada y el cura el saludo; los demás reíanse de él en sus barbas y la criada le dejaba sin asear el cuarto dos y tres días. Isidoro Gallegos, al contrario, intimó con él y lo visitaba a menudo, tratando de inculcarle su estoicismo para conllevar flaquezas de prójimos y gorduras de la suerte.

Inopinadamente, el *Jarameño* dióse a protegerlo, atraído y deslumbrado por aquel su guirigay pseudo-científico, por su fisonomía barbada y viril, casi hermosa, y por su decidida fortuna pésima. Apaciguó el chubasco, pagó a doña Nicasia un mes de su pupilaje y, monarca absoluto, contra la afirmación de don Práxedes de que el catalán olía a hereje que apestaba, levantósele el entredicho, se le devolvieron unas migajas de su reputación de antaño.

—¡Es un tío que sabe! Yo lo defiendo porque me nace defenderlo, ¡ea!, y una tarde he de brindarle un toro...

— Er maestro dice que le oiga uzté un momento, patrona.

—¿Viene enfermo? —interrogó doña Nicasia, ansiosamente.

— ¡Quiá! —repuso Bruno, sonriente—, más zano que un cabestro; viene acompañado...

Deshízose el mus; Gallegos retardó su salida y doña Nicasia, sin aguardar a que se le enfriasen los ojos, siguió a Bruno por el corredor hasta el mismísimo cuarto del espada, en el que penetraba a cualquier hora. Los jugadores se agolparon en la mampara de la sala, en mano sus respectivos juegos.

—¡Caracoles! —murmuró Gallegos, plantado a la mitad del pasillo—, ¡qué hembra se ha recetado el "maestro"...!

—¡Patrona! —decía en el propio instante a doña Nicasia el *Jarameño* cortando por lo sano—, aquí tiene usted a esta dueña de mi alma; se *dizna* vivir conmigo para que yo sin ella no me muera... Y aquí nos va a mandar a todos, a usted, a mí, a los huéspedes y al globo terráqueo... conque, ¡se concluyó...! Si alguien se enfada, a la calle con él, y si se enfadan todos, a todos soleta, que yo pago por nosotros y por lo que usted pierda y por la madre que me parió... Esta señora se llama Santa, doña Nicasia, ¿se hace usted cargo? ¡Santa...! ¡Ven tú, gloria!, ven a que te conozca la patrona...

Discreto y rápido se efectuó el conciliábulo, encerrados en la habitación de la propietaria, ésta, Sordo y don Práxedes. Que pronto se pusieron de acuerdo los miembros del conciliábulo, comprobado quedó con que pronto también reaparecieron en familiar grupo.

—¿No le parece a usted, padre cura, que es lo debido cuando se trata de personas decentes?, ¿no le parece a usted? —insistía Sordo, que llevaba la batuta del asunto.

Y ante los mudos asentimientos de don Práxedes y de doña Nicasia, satisfecha ella, y su paternidad, por efecto de la costumbre, aprobando con el brazo cual si repartiese bendiciones entre los feligreses de los curatos que había servido y de los que —el ilustrísimo arzobispo mediante— prometíase servir en lo futuro, a la sala regresaron ambos varones, mientras doña Nicasia pugnaba porque el *Jarameño* abriese su puerta:

—Soy yo, *Jarameño*, soy yo. ¡Abra usted! —gritábale—, que pueden ustedes quedarse, como usted quería...

El *Jarameño* y Santa, al fin, otorgábanse el don regio de sus mutuos cuerpos, de sus mutuas juventudes y de sus mutuas bellezas. Y del amor que se desperdiciaba por los resquicios, se llenó, transfigurándose La Guipuzcoana entera, como si invisibles manos compasivas la incesaran pausada, totalmente, y desterraran vulgaridades, envidias, codicias, cuanto de ordinario formaba su oxígeno respirable, eran la eterna pareja que entonaba el sacrosanto y eterno dúo, eran el amor y la belleza. ¡Oficiaban...!

Doña Nicasia se apartó respetuosa, cabizbaja, grave, como se aparta uno siempre de los lugares en que se celebran los misterios del nacimiento, del amor y de la muerte; ¡los misterios augustos!

La noticia circuló entre los huéspedes de la sala, primero, y entre los ausentes a la hora del suceso, conforme llegaban a sus cuartos.

No faltó ninguno a la comida que, según los reglamentos, sirvióse a la una de la tarde en punto. La única contravención a los tales consistió en que el mantel y las servilletas albeaban de limpios y en que en el centro de la mesa figuraba un gran ramo de flores, de a duro lo menos, alegrando semblantes. Gallegos inició algunas alusiones picantes que inadvertidas se evaporaron debido al severo mirar de doña Nicasia, a un carraspeo de Sordo y a un fruncimiento de cejas de don Práxedes. Antes que "los del Teruel" ingresó la sopera, destapada y olorosa.

—Hoy he guisado yo —proclamó doña Nicasia—, hay sopa de ajos, huevos con tomate, bacalao y olla podrida...

—¡Y yo pago el vino! —gritó el *Jarameño* entrando radiante de la mano de Santa, ruborizada, así como suena, ruborizada y para sus adentros temerosa: ¿se le averiguaría en la cara lo que había sido...?

Por dicha, la salva de aplausos que estalló a su llegada diole confianza y ánimos; y cuenta que no solamente la aplaudían a ella, buena parte de los aplausos consagrábanlos a los platos anunciados y al vino prometido, que Bruno introdujo en un canasto: dos docenas de botellas que tintineaban entrechocando, tinto español, legítimo, de la Rioja.

Sin dificultades ganó Santa en este primer encuentro.

Pero llegó el domingo próximo, fecha de lidia, y la decoración cambió. Los individuos de la cuadrilla del *Jara-*

meño, que a diario visitaban al "maestro" y habituados a estos amasiatos de duración corta y emborrascada, guardando distancias, trataban a Santa como esposa temporal de quien los mandaba, desde el sábado a la noche notólos Santa con actitud diversa, sin sus carcajadas y cantos, sin su alegría de existir ruidosa y franca de los demás días.

—¡Mucho juicio esta noche, y mañana, temprano, en el encierro tooos, pa' diquelar er sentío de lor bichos! —díjoles el *Jarameño* al despedirlos.

Y Santa vio claro que partían preocupados y que el *Jarameño*, preocupado, regresaba al cuarto; que después cenaba con sobriedad, sin catar el vino ni estrecharla a ella, acostados ya, por lo que alarmada de lo inusitado del fenómeno, se lo reprochó femenilmente.

—¿Ya no me quieres...?

—¡No, no te quiero ya, te adoro ahora...! Mira, por un cabello tuyo daría mi vida; por toda tú, la vida de mi pueblo, y porque no me engañaras nunca, todos los imperios y reinos de la Tierra, ¡y cuidado si hay imperios y reinos...! Es que si se descompasa uno la víspera de torear —será gitanería, concedido—, ¡ay hija!, se corre el riesgo de torear por última vez, y ya ves tú si, queriéndote lo que te quiero, me haría gracia que un bicho me ultimara mañana, ¡corriendito...! Por eso no me toques ni me tientes, ¡por la *marecita* que te echó a penar en el mundo!, pues si me tocas no respondo; llamas me corretean por las venas, y mi alma y mi vida a ti se me van, y yo detrasito de ellas... Si te abrazo, me ardo; si te beso, parece que pierdo el juicio.

Contra su costumbre, no tomó el *Jarameño*, al día siguiente, su café en la cama. De las manos de Bruno recibió la bandeja y en persona sirvióselo a Santa, ya penetrada de la gravedad de los sucesos y que de mal talante lo apuró echada sobre las almohadas.

El sol, el sol del cielo, que al abrir el *Jarameño* las maderas del balcón había asaltado la estancia cual invasión de agua represa que de improviso rompe compuertas y anega campos, dio de pleno en Santa, le regó de luz y de moléculas rubias que bullían en la atmósfera.

—Tendremos una gran tarde —vaticinó el *Jarameño* volviéndose a mirar tanto sol dentro de la pieza. Y deteniendo su mirada en Santa, que aguardaba inmóvil el doble baño de calor y de luz, masculló cual si consigo mismo hablase:

—¡Qué linda eres...!

—Llévame *Jarameño*. Considera con qué congojas pasaré la tarde aquí sola, ¿me alisto?

El *Jarameño*, serio, reproducía sus negativas.

—No irás, mi Santa; por tu madre que no me pidas ir... Me da en el corazón que el día que tú me veas torear ha de ocurrirme una desgracia grande... Quédate aquí, y reza, acompáñame con tu pensamiento y con tu querer, y antes que la noche, regresaré yo.

Bruno, en el interín, aparejaba un remedo de altar; dos velas de cera, encima de la cómoda, frente a una Virgen de los Remedios en cromo, que habrían de arder mientras el *Jarameño* se hallase en peligro inminente. Él las encendía al partir y él las apagaba al tornar, lo mismo si tornaba sano y salvo que como cuando en Bilbao tornó en vilo de sus hombres, con aquella cornada en la ingle que lo hacía sufrir aún.

La Guipuzcoana toda, no obstante que a sus inquilinos transportábalos la afición y que el alborozo los delataba, manteníase en cierta reserva en atención al "maestro"; por lo que la comida dominical resultaba relativamente silenciosa y anticipada, se servía en cuanto el matador volvía del "encierro". De acuerdo con lo que la regla manda a los lidiadores, el *Jarameño* sólo tomaba un par de huevos tibios y una copa de jerez, seco; el estómago debe estar vacío para ceñirse apretada la banda y para disponer, en la brega, de ligereza y agilidad. Santa comió un bocado con

desgano, a pesar de las instancias de la patrona que singular afecto le aparentaba; sentíase nerviosa, con palpitaciones y ganas de llorar; colérica de que los huéspedes,
ansiosos, consultasen relojes y cambiaran guiños de su-
brepticias connivencias.

— ¡Que va por usted, hombre de Dios, conque a lucirse
y a dejar bien puesto el pabellón!

Bruno, anunciando a su amo que era hora de arreglarse, rompía el medroso mutismo que seguía a la fúnebre
observación. Bruno los precedía, y una vez traspuesta la
puerta del dormitorio de los amantes, sin consultar, la cerró con llave.

Siempre de la mano de Santa, el *Jarameño* fue y encendió los cirios, se arrodilló y se abstrajo en la contemplación
de la imagen; si rezaba, rezaba con la mente, pues Santa
no notó ni que moviese los labios. Estaba pálido.

— Siéntate, mi serrana, y aprende a vestirme, que es una
empresa complicada — le dijo al incorporarse y principiar
la maniobra previa de despojarse del traje de calle, cuyos
pantalones, por lo ceñidos, hubo de tirarle Bruno, aga-
zapado.

Al quedar el *Jarameño* casi desnudo, se puso en pie. Y
Santa, aunque sin hablar, lo admiró en su belleza clásica y
viril del hombre bien conformado. ¡Santa lo admiró!

No se resignaba con perderlo acabando de hallarlo, ni
con que un toro se lo matase aquella tarde que más convi-
daba a acercamientos íntimos.

— ¡Mira, morena, mira cómo se viste un matador de toros! — le dijo el *Jarameño* sentándose en una silla y abando-
nándose a las pericias de Bruno.

Primero, el calzón de hilo, corto; luego, la venda en la
garganta de los pies, muy apretada, contra luxaciones y
torceduras; después, las medias de algodón, y sobre éstas,
las medias de seda, tirantísimas, sin asomos de una arruga; después, las zapatillas, de charol y con su lazo en el

empeine, y ¡arriba!, ¡pararse!, vengan la taleguilla y la camisa de chorreras, finísima, de hilo puro, de cuatro ojales en su cuello almidonado.

—¡Mis botones de cadenilla, Bruno! —ordenó el *Jarameño*, a tiempo que introducía bajo el cuello de la camisa el corbatín de seda y que se abrochaba los especiales tirantes de brega.

Metióse la falda de la camisa dentro de la taleguilla, que cerró por delante, y pidió faja de seda y sudadero de hilo, con los que Bruno lo cinchó, duro, apartándose luego a preparar el "añadido". Iba el *Jarameño* a abotonarse el cuello, mirándose al espejo del lavabo, cuando reparó en su medalla bendita —la que se oxidaba con sus sudores, enzarzada en los negros y abundantes vellones de su tórax—, devotamente la llevó a su boca, la besó muy quedo.

—Anda con el "añadido", Bruno, ¡menéate! —ordenó sentándose de nuevo y destrenzando la coleta.

En el propio instante se oyó que un carruaje deteníase abajo, en la calle, y a la masa de huéspedes, capitaneada por doña Nicasia —sin incluir a Ripoll—, que ansiaban al *Jarameño*, desde afuera:

—¡Ahí está el coche, "maestro", ya van a dar las dos y media! ¿No nos vamos?

—¡Salgo enseguida! —contestóles el *Jarameño*—, ¡adelantaos vosotros y aplaudirme en la plaza!

Bruno procedió a fijar el "añadido", trenzando el pelo postizo con el del diestro y con la moña aovada. ¡Bueno! Había quedado bien... ¡A ver el chaleco! ¡Por supuesto, acorta el correón...! ¡ah!, ¡ah...!, ahora la chaquetilla.

—Cuidado con las hombreras, ¡bárbaro...! ¡Endereza las borlas del sobaco!, ¡no, no tires recio!, despacio, eso es... —iba diciendo al meter los brazos en las mangas. Luego, se encasquetó la rizada montera, hacia adelante, su delantero mordiéndole las cejas, la parte posterior descansando en el "añadido", y el barbiquejo partiéndole entrambos carrillos, de la sien a la barba, como cicatriz indeleble de su carrera. Con codos y manos palpó si los dos pañuelos de la chaqueta asomaban lo bastante, e inclinándose un poco, permitió que el capote de paseo, más verde que un océano y con más oro que una California, que con respetos de sacristán que manosease paños consagrados, extendido sostenía Bruno, le cayera en lo hombros sin un pliegue, sin un desperfecto, gloriosamente.

—¡Abre, prenda!, y grita al cochero que baje la capota de la "victoria" —le mandó a Santa, sin cesar de mirarse al espejo, su brazo izquierdo en jarras. Santa experimentó inopinados e instantáneos celos, comprendió por qué estos hombres arrancan aplausos a su desfile, por qué engendran pasiones hasta en algunas damas encumbradas. Sus defectos, sus vicios se descubrirán después, mucho después, en la plaza son el color y la curva, el arte y la fuerza, la agilidad y la maestría... tienen sus rostros pálidos... los ojos negros... manchas de sangre... matan, engañan, lastiman, caen... ¡A veces, mueren...!, aman siempre, a una hoy, mañana a otra...

—¿Listos? —preguntó el *Jarameño*.

Y ante la respuesta afirmativa de su mozo de espadas, corrió a Santa, le abrazó el talle y al oído le susurró promesas y esperanzas, nuevas declaraciones rápidas de amores inmensos, nuevas exigencias de fidelidades imposibles; lo que se exige y promete para combatir las separaciones que pueden ser eternas.

—¡Hasta luego, mi Santa, te juro que hasta luego...! Reza ahora por mí y quiéreme mucho...

Y con el partir del *Jarameño* y Bruno, desvanecióse aquel cuadro de Goya.

Santa se asomó al balcón en los momentos en que la "victoria" arrancaba con Bruno en el pescante, cargando su hato, serio; el *Jarameño*, solo en la testera, vuelto al balcón, mandándole a Santa millares de besos, sin recato, a ciencia y paciencia de los transeúntes, que alzaban la cara para averiguar a dónde se dirigía semejante bombardeo. Al doblar la esquina, ya no arrojó besos, con la mano abierta prometía un pronto regreso; le significaba que lo esperase. ¡Volvería, ya lo creo que volvería...!

—¿Da usted su licencia, criatura? —escuchó Santa, que cerraba su balcón.

No iría el *Jarameño* a tres calles, cuando la sirvienta se apersonó en la habitación, a prevenir a Santa que la buscaban.

—¿A mí? —interrogó azorada—, ¿quién puede buscarme, si a nadie he dicho...?

Mas no pudo resistir, ni aún en presencia de extraños que fisgaban su manejo, al hábito adquirido en su recién abandonado oficio de acudir al primer llamado de cualquiera.

—¡Con el permiso de ustedes...! No, doña Nicasia, no se moleste, voy yo misma a ver quién es.

—Jenarillo, ¿a mí me buscas?, ¿y qué te pica?, ¿cómo supiste que estaba yo en esta casa...?

—¡Álgame, niña Santita!, largándose con el *Jarameño*, ¿pa'donde había de coger...?

—¿Y qué te trae, quién te manda? —le preguntó Santa acercándosele con cariño y de antemano sabiendo su respuesta.

—Pues ¿quién ha de mandarme, niña?, ¡no se haga!, mi amo don Hipólito, que ya no sabe qué hacer desde que su mercé se salió de la casa... ¡Está triste, triste, palabra...!, y en desta mañana me dijo: "Jenarillo, te vas allá a la Guipuz... bueno, a la casa ésa, y en cuanto se salga el otro —¡qué ojalá y lo reviente un toro...!—, no, si no lo digo yo, lo dijo mi amo... en cuanto se salga, tú te metes y le hablas a Santita, pero sin mentarme, como si fueras por tu cuenta... anda, Jenarillo, anda y mírala por mí..." Ya vine, ya la vide a usté y ya me voy..., pero vuelto el otro domingo;

hoy vine a la una y me estuve tlachando, tlachando que el *Jarameño* saliera, desde la pulquería... ya la vide a usté en el balcón, y ¿a que usté no me vido, apostamos...? ¡Niña Santita! —murmuró encogido, antes de despedirse—, ¿por qué no me regala un boleto de sol?

Explicóle Santa que ella no tenía los billetes de entrada, eso correspondía a los empresarios y vendedores.

—¿Quieres mejor un billete de banco?

—¡Un billete de banco...! —repitió aturdido Jenaro, mientras Santa le alargaba uno de a dos pesos. Y cuando fue suyo, lo olió, lo retorció como papel de cigarros, se lo metió por la barriga, en un roto de su camisa:

—Con estos dos trompudos —añadió—, hasta los gendarmes de las esquinas me respetan...

—¡Aguarda, Jenaro!, ¿qué vas a decirle a Hipo?

—¿Cómo qué...?, que con razón la quiere a usté, que la quiera todavía más, aunque sea ciego, como la queremos todititos los que la vemos.

El amancebamiento de Santa desenvolvióse tranquilo. Quietamente deslizábanse las semanas unas tras otras en la insípida atmósfera de La Guipuzcoana; entre las moralejas elásticas del comodaticio don Práxedes, las furias de Ripoll, los chistes de Gallegos y las marrullerías de Sordo. Santa reía al no más abrirse la boca de Isidoro, le pedía trozos de zarzuelas y estábase las horas pendiente de sus mentiras y verdades de cómico y de bohemio.

Su amor por el torero, como que se le desgastase con las semanas pacíficas, similares, sin parrandas ni bullas; paseando en carruajes algunas tardes; yendo al teatro y a cenar de fonda algunas noches; comprando en las tiendas algunas baratijas que, después, en el cuarto, resultaban sin aplicación. Que el hombre queríala, no le cabía duda. Sin embargo, a no ser por las almas de los domingos, esa amenaza de que un toro despanzurrara al *Jarameño*; a no ser

por la ebriedad de los regresos, él sano y salvo, oliente a
cabro y como cabro cayendo sobre ella, insaciable de su
cuerpo de hembra linda, del que se adueñaba hasta lastimarla, pidiendo que lo matara, que lo mordiera, que le
hiciese daño; pidiéndole lo que nadie habíale pedido:

—"Dame toda tu sangre, ¡barbiana!, ¡dame tu sangre!..."

A no ser por todo esto, Santa se habría cansado de él;
habríalo dejado sin odios, al contrario, mas también sin
penoso esfuerzo... No, no basta el perpetuo y monótono
"te quiero"; a lo menos a Santa no le bastaba, ¡habíalo oído
tanto y a tantos...! Un domingo, hasta se lo participó a
Jenaro —que nunca dejaba de presentársele en la ausencia
del matador—, ¡extrañaba su vida de antes!

Era verdad. Aquel ensayo de vida honesta la aburría,
probablemente porque su perdición ya no tendría cura
porque se habría maleado hasta sus raíces, no negaba
la probabilidad, pues en los dos meses que la broma dura-
ba, tiempo sobraba para aclimatarse. Además, el *Jarameño*
infundíale un miedo atroz; sentíalo capaz de realizar sus
amenazas, las que todos los amantes formulan y muy pocos llevan a cabo:

—"¡Si un día no me quisieras, te mataba...!, ¡te juro que
te mataba!..."

Quizá a ese miedo debióse la inmotivada infidelidad
de Santa a la voluptuosa atracción que el peligro ejerce en
los temperamentos femeninos, la curiosidad enfermiza de
desafiar la muerte, de temblar a su presencia y con deliciosos terrores aspirar su hálito helado.

Ello fue que un domingo en que no era fácil prever que
la corrida se interrumpiría a su mitad con alboroto grandísimo descalabraduras de aficionados e intervención arma-
da de la autoridad por lo pésimo del ganado, un domingo
traicionero, Santa traicionó al *Jarameño*, entregándose cíni-
camente a Ripoll que, en un principio, se opuso. No, no
sería una indecencia, él le debía favores al torero, habíale

dado mano de amigo... Pero Santa insistió, el *Jarameño* nada sabía, estaba lejos:

—Y tú me gustas, ¡bobo!, por desdichado, porque todo te sale mal... ¡anda!

Enardecido por la tentadora, Ripoll cedió en un arranque de desgraciado; consintiendo que sus levaduras de socialista destruyeran, por destruir, siquiera fuese una ventura, la propiedad de alguien, la dicha de un dichoso y acreedor a su gratitud...

De súbito, el *Jarameño* dentro de la pieza, como un rayo, convertido en estatua frente al delito torpe. En el acto mismo, la fuga del inventor, que de milagro escapa, el eco de su correr, sin sombrero y sin alientos, por las escaleras y por el patio... En un segundo, las lavas del volcán, la ira que ciega y empuja, la necesidad de destrozar, de pagar daño con daño.

Tambaleante, el *Jarameño* cierra su puerta, con llave, y arroja el "capote de luces", que le estorba; busca algo en la cómoda, en la ropa de calle pendiente de la percha..., al encontrarlo, un alarido siniestro, gutural, del árabe del desierto que resucita en los interiores de su ser...

Por el balcón entornado, palideces crepusculares, rumores callejeros, murmullos de día de fiesta...

Santa ve llegada su última hora —¡todo es rápido, todo es solemne, todo es trágico!—, y se postra de hinojos, mirando hacia la imagen, cuyas velas parpadeantes chisporrotean por lo largo de sus pabilos, como los cirios que alumbran a los muertos recién dormidos... Igual a un tigre antes de abalanzarse sobre su presa, el *Jarameño* se encoge, se encoge mucho, y encogido, abre con sus dientes la faca, la cuchilla de Albacete, de muelles que rechinan estridentes, que suena a crimen. La hoja corva reluce... violentísimamente la baja, con el brazo rígido la lleva hacia atrás para que el golpe sea tremendo, para que taladre el corazón que engaña y el cuerpo que se da, para que la mano se empape en la sangre culpable, en los huesos rotos... Y la hoja, ¡tal es el impulso!, clávase en las maderas de la cómoda que sustenta a la imagen y sus cirios...

El *Jarameño* tira, tira con rabia loca, y la hoja tarda en salir... ¿un minuto?..., ¿un siglo?... Por fin, derriba los cirios, derriba a la imagen, y el cristal de su marco quiébrase con estrépito... Suelta la faca el *Jarameño,* porque el gitano se ha asustado, recoge el cuadro, lo limpia, exclama roncamente, sin mirar a su querida:

— ¡Te ha salvado la Virgen de los Cielos!... sólo Ella podía salvarte... ¡Vete!, ¡vete sin que yo te vea!, ¡sin que te oiga!... ¡vete!... porque si no, yo sí me pierdo...

Capítulo II

Derechamente, sin asomos de titubeos ni vacilaciones, como golondrina que se reintegra al polvoriento alero donde quedó su nido desierto resistiendo escarchas y lluvias, así Santa enderezó sus pasos fugitivos a la casa de Elvira, sin ocurrírsele que le sobraban recursos más seguros y más honestos; sobre todo, sin rememorar sus proyectos bordados hacía algunos meses, cuando la muerte de su madre habíale estrujado el espíritu y prometídole, con el abandono del vicio, una resurrección de alma y de cuerpo. Nada de eso.

Perseguida por el terrible mirar del *Jarameño*, aquel mirar preñado de homicidio que la hizo suponerse en su última hora, huyó de La Guipuzcoana, humillada, trémula, gacha la hermosa cabeza, en los suelos los ojos, el acobardado corazón batiéndole sin ritmo; ora a gran prisa, cual si le urgiese salir de la cárcel, ora muy despacio, cual si en su pánico tratase de esconderse en ignoradas entrañas recónditas... Bien que advirtió en corredor y ventanas la presencia de la patrona y de los huéspedes, pero airados todos, todos inmóviles, todos agresivos, echándole en cara, con sus actitudes, que sabían su porquería y a una se la reprochaban. Por no tropezar recogióse la falda, y no creyéndose en cobro ni en el zaguán de La Guipuzcoana, salió a la acera, unos cuantos pasos, para no llamar la atención del diluvio de paseantes, con su cabeza al aire, vestida de casa y sin abrigo. Por dicha, oscurecía, y siendo domingo, diversas tiendas no iluminaban sus aparadores. En uno de estos trechos de penumbra guarecióse Santa, hasta que un coche, de vacío la izó a bordo y la condujo al prostíbulo conocidísimo:

—¡Súbase, mi patrona! —le dijo el cochero mientras encendía los faroles y Santa le indicaba la dirección—, ya sé dónde, a la casa de Elvira.

¡Cosa más rara!... Ahora, a solas dentro del coche y cruzando las calles de Plateros y San Francisco, Santa se arrepentía de haber engañado al *Jarameño*. ¿Por qué engañarlo si él queríala tanto?, ¿por qué renunciar al proyectado viaje a España, el viaje que habría de haberse llevado a cabo ni más ni menos que un viaje de novios...? ¿Por qué tan pronto estar tan pervertida, si ayer, sí, ayer no más, todavía era buena...? Descubría su mal, lo palpaba y plegábase a las consecuencias, a las resultas fatales. Alegrábala, por lo pronto, con alegrías físicas que maquinalmente compelían a tentar y acariciar su propia persona recién escapada del aniquilamiento, el haberse salvado de las iras del *Jarameño* y, a su vez, también atribuía la inesperada fortuna a milagro patente.

Y distraídamente, púsose la chica a considerar despacio los cristales de las peluquerías que albergaban máscaras y caretas, pelucas y barbas, postizos y disfraces por ser primer domingo de carnaval.

No son para descritos los extremos de Eufrasia cuando, al abrir la puerta, topó con Santa. La alzó en vilo, la abrazó, acariciábale mejillas, cintura y ropa.

—Lo que es don Hipólito el músico, de esta hecha recobra la vista... ¡Vaya, vaya...! ¡Doña Pepa!, ¡doña Pepa! —gritó desde abajo por no retardar la buena nueva—, ¡albricias, doña Pepa, que ya pareció lo perdido, ya está aquí Santita otra vez...! Están cenando —explicó a Santa.

Verdadero alboroto hubo en el comedor, sillas derribadas en el piso, vertimiento de salsas en el mantel, abrazos y besuqueos a la que regresaba, curiosidades en saludos y miradas, renovación de envidias, sinceros júbilos.

—¿Pero qué te ha pasado, mujer? —preguntóle Pepa al disminuir el tumulto—, ¿ya cenaste?

Antes que respuesta ninguna, los nervios de Santa reaccionaron distendiéndose, las encontradas emociones de la tarde trágica despertaron de su pasajero letargo; algo de alegría por el recibimiento y por saberse salva, y más de amargura por sentirse desahuciada.

—¡De milagro no me ha matado hoy, Pepa! —pronunció Santa al fin, incorporándose en el asiento—, y tengo miedo de que me mate.

—¿Pues qué le hiciste tú? —inquirió Pepa fríamente, recortando con los dientes la perilla de su tagarnina de ordenanza.

Grande debía de ser la responsabilidad que Santa se achacaba, puesto que ni ahí osó confesarla.

—¿ Yo ...?, ¡nada! ¡Fueron celos, los malditos celos de todos los hombres que se meten con nosotras...!

Pepa, incrédula y experta en achaques de infidelidades, no insistió.

Las demás mujeres tampoco tragaron el embuste de Santa. ¿Celos...? Verdad que los celos en ocasiones son infundados, pero las más, y con ellas muy especialmente, con ellas que convierten en hábito el engaño, en incentivo la infidelidad y en necesidad el olvido, para continuar vegetando con su existir mísero, con ellas los celos son casi siempre fundados.

Santa echó de menos a la *Gaditana*, ¿qué había sido de ella? Le contaron su "compromiso" con un empleado de aduanas, quien con su conquista cargó al quinto infierno.

—Y tú —le dijeron dos o tres compañeras— ya perdiste tu cuarto, ¿verdá Pepa?... ahora vas a vivir abajo, después de la sala chica.

Asintió Pepa sin prestar importancia a lo del cambio de habitación. Más importábale que Santa cenara:

—Toma cualquier cosa, unos sorbos de caldo para que se te borren las ojeras... ¿Piensas ir al baile...?

—Si quieres no hagas "sala" esta noche —terció Pepa—, te la dispenso sin cobrarte nada; recuéstate un rato, a oscuras, duerme, si puedes, para rehacerte, y a la hora en que estas chifladas se marchen, tú dirás si te marchas con ellas... ¡Ah! ¿Quieres que te salude al pobre de Hipólito...? Va a ponerse hecho un loco en cuanto te sepa aquí otra vez.

Santa respondía que sí a todo, a las que se preparaban a ir al baile, a lo que le aconsejaba Pepa; sí, sí, tomaría el caldo, adoptaría el dominó y el antifaz, saludaría a Hipólito, ¡de veras, pobre!

Dentro de la quietud relativa de su estancia, sentíase Santa con un apaciguamiento total que le recorría íntegro el organismo y aun consigo misma la reconciliaba: nadie resultábale perverso, ni ella; en el fondo, no amaba al torero, pero tampoco odiábalo, antes continuaba profesándole acendrada simpatía sin perder la esperanza de que habría de contentarse diciéndole ella eso, demostrándole que no pulsaba inconveniente en que de amigos siguieran, perteneciéndose cada y cuando sus respectivos cuerpos lo apeteciesen. Santa, por engañarlo, no se reputaba más culpable. Lo único que ambicionaba, su pureza, su honra, su conciencia tranquila e inmaculada de virgen crédula y confiadísima que ignora el pecado y sin compasiones la inmolan porque ama, habíalo perdido, perdido para siempre... ¿eran lejanías?, no, porque no le quedaban ni lejos ni cerca, quedaban más allá... allá... en un punto que ni el lenguaje sabe precisar; en el misterioso punto invisible, donde, por ejemplo, queda la muerte... Y en ese misterioso punto invisible yacía lo que Santa ambicionaba.

Para su gobierno acordaba, ya que no podía rechazar la maldad, utilizarla y agredir con ella, a tontas y a locas, como actúan todos los poderes que no es dable encauzar, el río de su pueblo —ponía por caso—, que cuando manso bendecíalo, y cuando enfurecido en su avenida, desgajaba troncos y ahogaba ganado y arruinaba sementeras y acobardaba los ánimos sin importarle un ardite que lo maldijesen o lo amenazasen con los puños cerrados, ni que de ablandarlo trataran con llantos de verdad y ruegos como de persona...

Ella, Santa, obraría por modo análogo; con sus caricias calmaría a los sedientos de su cuerpo, a todos los que lo codiciaran —pues para todos había— y si de repente, en el curso de su vivir destruía y engañaba, ¡o matarla o dejarla, sin términos medios! Convencida, sin solución de continuidad en sus ideas, de su perversión; desvanecida de haberse asomado a aquella cima sin fondo de su ser moral, contrajo el rostro, en las sombras del cuarto, y se irguió en el lecho apoyando ambas manos en las almohadas. ¡No tenía culpa! ¡No se declararía culpable nunca! Que escudriñasen su juventud, su infancia.

Bastaba con lo hecho, mientras quiso al torero —porque habíalo querido, sin duda alguna—, mientras lo quiso, mantúvose fiel, pero esa tarde se le antojó el inventor, ¿y qué?, ¿por eso matarla...?

Adivinó Santa que en aquel instante notificaban a Hipólito que ella había vuelto, porque el piano enmudeció de súbito, rompiendo una armonía, y se oyeron en el patio los taconazos precipitados del ciego, el incesante golpear de su cipión contra muros y baldosas, el aviso en voz baja al lazarillo adormecido en su rincón del zaguán:

—¡Jenaro! ¡Jenaro!, despabílate, ya está aquí Santita, ahora sí que es cierto, me lo ha dicho Pepa...

—¡Adelante, Hipo! —gritó Santa desde la cama, no bien el músico llamó a la puerta.

—¡Santita...! ¡Santita...!, ¿pero es posible que tan pronto se haya usted arrepentido...?

Santa protestó, ¡qué había de ser arrepentimiento! Ella continuaba amando al torero, era él quien la repudiaba:

—Me ha corrido, Hipo, me ha corrido y por un tanto
así, me mata... iba a matarme con su navaja... ¿Ve usted lo
que se saca una con querer a uno de ustedes...? ¿Tengo o
no tengo razón en desconfiar de todos...? —dijo, mas al
decirlo, distraída o mañosamente, cogió con una de sus
manos las dos del pianista, para reforzar el argumento sin
duda, e Hipólito sofocado de dicha, levantó la ilusión, inclinándose le contestó lo que sólo ella podía entender:

—Es muy distinto, Santita, le protesto a usted que es
muy distinto...

—¡Hipo, por tu madre, ve a tocar, que se impacientan
en la sala! —declaró Pepa, entrando de improviso en la
pieza.

—Pues voy a contentarlos tocando hasta que San Juan
baje el dedo.

Y el que se bajó fue Hipólito, a buscar su palo que había
rodado por la alfombra. Enderezóse al encontrarlo y se
encaminó a la puerta, ágil, sonriente. Desde la puerta
agregó:

—Lo que es hoy, Pepa, le toco a usted el mismísimo
sertiminio de Hernani, ¡mi palabra de honor!

No obstante lo numeroso de la parroquia que aquella
noche llenaba el establecimiento, el entero mujerío ardía
en deseos de que las dejaran pronto, a causa de la atracción que el baile de disfraces ejercía en sus pobres cuerpos
de alquiler y en sus atrofiados cerebros de apestadas sociales.

Tales bailes les representaban un reinado: unas cuantas
horas de unas cuantas noches en cada año. Les representan su fiesta de ellas, de ellas que son el azote secular, la
paga sin antídoto, la tentación perenne, las lobas devo-
radoras que aúllan de dolor y que aúllan de placer, las lupas
ultrices. Tales bailes reproducen las lupercales a Pan, el
dios cornudo y de pezuñas de cabra, tañedor de la flauta
pastoril y regulador de las danzas de ninfas, que donde

aporta infunde los terrores "pánicos". Tales bailes representan la fiesta de ellas, donde únicamente imperan y conquistan y mandan, donde la policía no las acosa ni el hombre las escarnece.

Santa se dejó llevar, disfrazada con un sencillo dominó oscuro y un antifaz de terciopelo y blonda. A eso de las dos de la madrugada hizo irrupción la caterva de la casa de Elvira en el teatro Arbeu, de suyo feo, y acabado de afear por su transmutación en salón de baile. Serían una media docena. Acompañadas de sus galanes, cuatro; sin acompañantes, Santa y la tísica, que lucía disfraz de maga o hechicera para disimular sus flacuras enfermizas. Cerraban la comitiva Jenaro e Hipólito, pues alegó este último que su deber era acompañarlas, dado que el teatro en cuestión hallábase frente a su domicilio.

—En cuanto distingas al de trenzas, al maldito ése, me pones cerquita de él y no le apartes la vista, ¡ojo!, y caso que, Dios lo librare, intentara hacer algo a Santita, me empujas recio encima de él y corres a llamar a un gendarme. No se te olvide Jenarillo, que yo me encargo de no permitir ni que se mueva...

Pagaron las parejas sus entradas, es decir, pagaron las mozas por sí y por sus queridos; pagó Santa por ella y por la maga tísica, e Hipólito se hizo el perdedizo.

Por una de las entradas laterales del lunetario convertido en sala, introdujéronse Hipólito y Jenaro, escondido el lazarillo entre su amo y el muro.

—¿Qué ves? —preguntó el músico—, ¿ves a Santita?

—De aquí no, nos tapa la gente y hay mucha bola, ¿no oye usted qué ruidero? Mejor nos sentaremos abajo, ya vide unos asientos vacíos.

La apretada masa humana se agita al compás de la música; las bocas se juntan; las manos buscan algo y algo encuentran; los bustos se entrelazan como para no soltarse nunca; un malsano regocijo se apodera de ellos y ellas, míranse las manifestaciones iniciales de locura que el alcohol genera; los duelos espantosos, de duración de relámpago, de los amores que agonizan, se acusan en las caras trágicas... El bastonero, con correcciones de ministro diplomático en lo irreprochable de su traje de etiqueta y en lo cortés de sus modales, apoyado en su largo mástil florido, con cascabeles, cintajos y moños, es el islote de paz en esa deshecha turbonada; sin embargo, tiembla, tiembla al unísono del teatro entero que resulta endeble para resistir aquel desbocamiento de hombres y de hembras que giran y se oprimen y magullan, que dicen quererse, que creen que se quieren... Calla la música, los enlazamientos se interrumpen, las charlas íntimas se mutilan, y la masa, disgregada, sale en tropel de ganado que huye hacia la cantina y sus mesitas, hacia el alcohol que promete consuelos y olvidos, resistencias y conformidades, dicha, venturas, alegrías, ¡a peseta la copa! Es el intermedio.

—¡Busca bien, Jenarillo, busca bien...! ¿Tampoco ves a Santita...?

—Sí la veo, patrón, ya la *vide*... está en la platea de los catrines del *Clú*... no tiene puesta la máscara... ahorita brinda y se baja el capuchón... todititos se le amontonan, amo, como si ella *fuera* panal y los "rotos" moscas...

—Sobra, Jenaro, ya no mires más y vámonos, que al menos con ésos se halla segura y no corro el riesgo de que vuelvan a robármela...

El ciego y el lazarillo avanzaban en silencio; cruzaron el vestíbulo cuajado de mesitas desiertas, salvo una que otra en que disputaban rezagados, borrachos ya.

Es un misterio averiguar de dónde sacaría arrestos Hipólito para hacer lo que hizo el día siguiente. Ello fue que llegando a su trabajo más temprano que de ordinario, se permitió solicitar de Santa una entrevista en debida forma, por conducto de Eufrasia:

—Pregunte usted a Santita si puede recibirme a solas en su cuarto para decirle dos palabras que me interesan:

Concedióle Santa su permiso, luego de saludarse y de que Hipólito se arrellanó en el canapé.

—¿Qué me quiere usted decir, Hipo?

—Pues, Santita... —empezó el ciego. Y soltó su pena, de una vez, elocuente y hasta imperioso a trechos, necesitando no nada más que conocieran su cariño y lo toleraran, sino que se lo correspondieran, ya que no en idéntica dosis (porque los imposibles no se improvisan ni con las manos se coge el cielo), por lo menos en dosis menor, muy menor, que él encargaríase de cuidar y regar, cual si de planta delicadísima se tratase, de ésas que un triunfo cuesta que al cabo de los años florezcan y perfumen, pero que por remate perfuman y florecen premiando los afanes y desvelos del floricultor tenaz—, a usted la quiero contra mi voluntad, ¡como usted lo oye!, pero la quiero a usted muchísimo... ¡No hay idea de lo que la quiero a usted!...

—Pero, Hipo... —lo interrumpió Santa volviéndose a mirarlo, en la una mano las tenazas enrojecidas, en la otra un rizo de su frente, que se le enroscaba en los dedos lo mismo que amaestrado reptil; al descubierto, por la postura, las manchas negras de sus axilas.

—No hay pero que valga, Santita —insistió Hipólito—, no hay más que cariño de mi parte, un cariño ciego, sobre que ciego soy yo, y de la de usted, lo comprendo como si ya usted me lo hubiera dicho, no hay más que repugnancia, extrañeza, y, si bien me va, una puntita de lástima, ¿verdad...? ¡No lo niegue usted!, si yo soy el primero en confesar que tiene usted razón que le sobra, sí, Santita, debo parecerle a usted un monstruo, porque soy un monstruo de fealdad, pero aquí adentro, Santita, mi fealdad no es tanta, puede que hasta haya pureza que no todos la ofrecen porque no todos la poseen... ¡Quiérame usted, Santita!, ¿qué le cuesta...? Vea usted —agregó levantándose—, vea usted cuánto la querré, que ahora mismo, yo sé que está usted desnuda casi, que podría yo echarme sobre usted y no dejarla escapar. Véalo usted, Santita, vea usted cómo vuelvo a sentarme y que quietecito me quedo, porque usted no me arroje de su lado...

Santa, que a los comienzos del paroxismo del pianista se creyó en positivo riesgo y se levantó de su silla yéndose en dirección de la puerta, tras la que se parapetó sin preocuparse de que el camisón de seda se le resbalaba —dado que Hipólito, así ella se desnudara completamente, no podría mirar su desnudez—, se tranquilizó de advertirlo tranquilo, de nuevo en el canapé, suplicante y sumiso, en humilde actitud de infeliz que se ha ido del seguro y teme que lo riñan. Al propio tiempo, leía en los horribles ojos blanquizcos del ciego, en su persona toda, un cariño hondo y avasallador por ella engendrado, por ella nutrido. Por la vez primera, antojósele que Hipólito, sin ser un Adonis, tampoco era un monstruo, no, era un hombre feo, feísimo por su exterior, mas, si en realidad por dentro difiriese de los que a diario la poseían, junto a quienes Santa reconocíase inferior y degradada... ¿Si en efecto Hipólito la estimase mujer perfecta y superior a él...? ¿Si resultáramos con que la haría feliz...? No, no, romanticismo y disparates.

—¿Nada me contesta usted, Santita? —preguntó Hipólito que continuaba en su mansa actitud de vencido.

—Sí, Hipo, voy a contestarle —le replicó Santa—. Y vea usted qué cosa, Hipo, si supiera yo que se le acababa a usted este cariño que me tiene me entristecería mucho, ¡quién sabe por qué...! Se me figura (solemne y sincera, divisado un porvenir sombrío) que usted y yo no hemos de separarnos... ¿cómo le diré a usted...?, ¡vaya!, que usted y yo hemos de encontrarnos en momentos difíciles... estoy cierta que he de quererlo a usted, ignoro cuándo, ¡algún día...! ¿Quién es? —gritó colérica al que llamaba a la puerta.

—Soy yo, niña Santa —respondió Eufrasia—, que ahí está el coche que manda el señor Rubio y que está esperándola a usted ya sabe dónde.

—Bueno, que se espere, voy en seguida.

Empezó a vestirse, a grandísima prisa, sin pudores porque de ellos carecía y porque aun cuando de ellos no hubiese carecido, la ceguera de Hipólito autorizábala a vestirse cual si se hallara a solas.

Los ojos de Hipólito, no obstante no ver, habíanse cerrado, su barba hundíasele en el pecho, y sus brazos, como ropa colgada de una percha, pendíale de los hombros desmazaladamente.

Tales ruidos, el ejercitado oído del ciego traducíalos a maravilla, suplía la ausencia de vista, proporcionábale una exacta contemplación mental de Santa, lo mismo que si la palpara o ayudase a vestir.

—¡Hipo! —exclamó Santa, de espaldas al pianista—, en prueba de nuestra más que amistad, voy a confiar a usted un secreto en reserva: de una circunstancia que al momento sabré, dependerá que me "comprometa" yo con Rubio... Nos contentamos anoche, en el baile... insiste en que viva yo con él... Usted mismo me aconsejó que aceptara, ¿se recuerda...? ¿No me odiará usted si me "meto" con él, y si algo me pasa, contaré con usted?

—Conmigo, Santita, cuenta usted cuando se le antoje... Sólo una condición, quiero decir un favor: que me avise usted qué día se va de aquí y que me consienta visitarla, muy de tarde en tarde, cada semana o cada mes, ¿quiere usted?

—Sí, Hipo, sí, sí quiero... ¡Pero cuidado con publicar ni media palabra de esto! ¡Si supiera usted cuántas envidias y cuántos odios me persiguen desde que he vuelto a la casa...! ¡Mañana hablaremos, ¿eh...?, junto al piano, como antes.

Salieron al patiecito, y Santa, cediendo a irresistible impulso, asió al ciego de una mano y tornó con él al cuarto.

—¿Qué ocurre, Santita, se ha olvidado alguna cosa...?

En lugar de respuesta, Santa venció sus ascos, cerró los ojos, y cual si cumpliera con obligación ignorada, caritativamente, besó a Hipólito, ¡en plena boca!

Hipólito hacíase cruces de no haber oído la confabulación en sus principios y prometíase ahora resarcir lo perdido contando a Santa lo mucho que ya el enemigo de sus armas mostraba y lo muchísimo que sin esfuerzo se adivinaba oculto.

A la noche siguiente, ambos tenían que cambiarse una porción de confidencias, lo que Hipólito había descubierto, lo que Santa había arreglado en su cena con Rubio. Pusiéronse a charlar junto al piano, como antes, tocando él las viejas danzas, la "Bienvenida" de ella. Y al amoroso compás de las piezas compuestas en su honor, Santa rompió el fuego:

—Estamos arreglados, Hipo, me ha hecho Rubio propuestas espléndidas que ya acepté, y salvo que surgiera un contratiempo gordo, hoy somos martes... pasado mañana o el sábado a más tardar estrenaré casa, con muebles y dos criadas, en la segunda calle del Ayuntamiento, ¿sabe usted dónde es?

Hipólito sabía dónde quedaban todas las calles de México y a regañadientes apechugaba con este segundo secuestro de Santa, porque aun prolongándose más que el del *Jarameño* que de fijo se prolongaría, menos riesgo corría Santa que permaneciendo en la casa de Elvira.

—Vaya usted, Santita, le conviene, yo la aguardo...

¡Sacrificábase! Que fuera ella donde su belleza soberana conducíala: que disfrutara de cuanto bueno hay en el mundo y que él ni remotamente podía darle; que se lo diera otro; que le dieran lo que se alcanza y obtiene con dinero, y cuando hostigada y desencantada Santa pidiese amor, ahí estaría él, ése sería su triunfo, cubrirla de amor, del que había venido aumentando y aumentando dentro de su estropeada envoltura de ciego y de pobre. Confiaba en la profecía de la víspera; creía en el emplazamiento formulado por Santa. Sí, ese día advendría, y con su advenimiento ellos verían desvanecerse las penas antiguas, cerrarse las llagas de sus espíritus, evaporarse los llantos inconsolados, sus lágrimas de desesperanza... Se amarían, era fatal, era infalible y era misericordioso; todos aman, todo ama, hasta los seres más débiles y desgraciados, ¡hasta el átomo! El mundo sólo puede existir por el amor; nacemos porque se amaron nuestros padres; vivimos para amar, morimos porque la tierra de que somos hechos, ama, codicia y ha menester de nuestra materia...

La brutal irrupción de un grupo de beodos de levita dio al traste con la quimera. Pedían a Santa en destemplado tono, abrazaban a las demás, reclamaban botellas y copas, exigían un vals, regaron pesos.

—Somos nosotros, muchachas, no hay que asustarse, que venimos de paz, a divertirnos y a bailar. ¡Suénale al parche, profesor!

La parranda se armó ni mejor ni peor que la de todas las noches; cuatro o cinco individuos de pergueño decente, conocidos de la casa y que exudaban una chispa sorda; tuteándose, bonachones, dispuestos a seguir bebiendo, a pernoctar quizá, y a no pararse en precios. De consiguiente, acogióseles de buen talante y se les sirvió con prontitud y eficacia.

—¡A mí se me cansó el caballo! —declaró uno, dejándose caer en el sofá, muy pálido.

¿A propósito de qué se inició el disgusto, si la reunión navegaba como en un mar de aceite? ¡Averígüelo quien pueda! El pretexto parecía radicar en que Santa —que permaneció sentada en el sofá, cuando a su lado habíase dejado caer el de la metáfora del caballo cansado—, se levantó sin su venia a preguntar cualquier tontería a uno de los últimamente llegados. Desmán tamaño no lo consentía el ebrio, en su ebriedad impulsiva, y con descompuestos modales acercóse a Santa:

—¡Estando conmigo no le hablas a ningún "tal" porque yo no soy un chulo! —dijo y tiró de Santa por un brazo, con brusquedad.

—Y eso ¿por quién lo dice usted? —inquirió el interlocutor de Santa en moderada entonación y con ánimos de
que retiraran el insulto.

Terció Santa, levantando la voz:

—¡Suelta, que me lastimas...! ¿Qué te traes tú...? Yo ha-
blo con el que me dé la gana ¿sabes? ¿De cuándo acá eres
mi dueño?

Afortunadamente que los otros, y Pepa en cuenta, se
percataron del incidente, y mientras sus amigos forcejeaban
con el agresivo —Rodolfo según lo llamaban—, Pepa y
Santa convencían al pacífico de que no debía hacer caso de
injurias de un borracho.

Se pidió de beber y se bebió; logróse que Rodolfo y el
agredido chocaran las copas y se apretaran las manos: uno
de los de la cuadrilla beoda, en vista del cese de las hosti-
lidades, abrazado a una chica desapareció escaleras arriba. Rodolfo, siempre muy pálido, volvió a sentarse en el
sofá, taciturno, hosco; reanudóse el baileteo, y Santa, en
consejo con Hipólito, determinó retirarse a su habitación,
¿qué hacía allí, en vísperas de comprometerse a lo serio,
expuesta a que la insultaran o a sufrir un desagrado?

El alcohol, en tanto, continuaba su obra callada, implacable, destructora; precipitábase en los estómagos, que se
dilataban o contraían para albergarlo; como un río de fuego, corría por las venas aumentando la circulación rítmica
de la sangre; se evaporaba, y por dentro de los organis-
mos, incontenible y arteramente, subía hasta los cerebros,
a los que iba envolviendo con siniestra tela sutil de animal
ponzoñoso, una tela más espesa y más densa conforme en
los estómagos caía más alcohol.

La invasión continúa, el Enemigo adelanta. Pone en fuga
las delicadezas que aun el más burdo y zafio consigo lleva; huye la vergüenza y huye el respeto de sí propio; no se
pierde la noción del bien y del mal —¡ésa es perdurable!—,
pero se los confunde, se los disloca, un fatídico "¿qué me
importa"?, se sobrepone y de antemano nos absuelve por

cuanto reprobado queremos ejecutar; la dignidad se estremece, pugna porque la fuga no se consume, defiende al individuo palmo a palmo...

El Enemigo ha triunfado. El cerebro se entenebrece, la voluntad yace inmoble, el discernimiento se ausenta. Y los resultados son salvajes, primitivos, idénticos a los de todas las invasiones. ¡Es el triunfo del Enemigo!

—Pues a mí me parece que se viste usted de un modo ridículo, don... ¿cómo me dijo usted que se llamaba? —balbuceó Rodolfo, mirando con vidrioso mirar al que insultara hacía poco y que en busca de descanso había ido a sentarse en un sillón vecino.

—¿Decididamente quiere usted camorra? —demandó el juicioso, sin mucho juicio ya, gracias a las copas bebidas.

—¿Con usted?, no, señor; yo peleo con los hombres, no con... —replicóle Rodolfo, recargando en la palabra soez.

Y fue obra de minutos. Primero, los insultos verbales que enardecen y lastiman más que los golpes que han de seguirlos. Luego, la visión roja, el milenario impulso homicida, la incurable exigencia fisiológica de matar por matar, el persistente y perpetuo Caín trucidando a su hermano que no le ofendía, de quien no recibía daño ninguno, de quien podía recibir amor y ayuda; el movimiento asesino que una vez comenzado empuja por sí mismo hasta la consumación del asesinato. Rodolfo, fatídico, amartilló el revólver.

Cuando los demás pretendieron intervenir, era tarde. Calló el piano, aunque Hipólito no veía los sucesos; callaron los que reían, los que cantaban, los que hablaban; cesó el baile, cesaron las caricias, las aproximaciones, los contactos, los besos... comprendiendo que algo trágico y definitivo iba a pasar.

Demudada la víctima, con palideces funerarias, agazapábase, tropezaba con los muebles; las manos, enloquecidas, posábanse apenas en respaldos y rebordes; el mirar fascinado, sin apartarse de aquella boca; los ojos, saltones, subiendo y bajando a la par de ella. En el mirar, reconcentrado el amor a la vida, la súplica elocuente de que no se la troncharan; un mirar humillado y desgarrador, retratando la certidumbre, el convencimiento de que perecería.

El revólver, de prisa, de prisa, sin dar tiempo a que interviniera nadie ni nadie lo atajara. Todos pálidos, todos jadeantes, Hipólito de pie, apoyado en su piano, tratando de ver el drama, de salvarse del peligro ambiente, con sus horribles ojos blanquizcos, sus ojos sin iris, de estatua de bronce sin pátina.

Caín, erguido, ajustando la puntería para no errar el tiro, Abel, sin esperanza, agonizando sano, fuerte, joven.

De prisa, un fogonazo, otro fogonazo, de prisa, de prisa... El moribundo por el suelo, rindiendo el alma con piadosa exclamación devolviéndola a quien la da, invocando el divino nombre: — ¡Jesús...!

El matador, tambaleante, no quiere ver hacia el muerto; ve a los que lo rodean, estúpida o lúcidamente, según el alcohol se le ausenta del cerebro o dentro de él retuércese por no abandonarlo; su brazo fraticida, como arrepentido del delito, próximo a soltar el arma que bosteza y oscila apuntando a la alfombra.

Al pronto nadie habla. Reina el estupor frente a lo irreparable: donde la muerte se presenta, todo calla.

En seguida, la indignación sobreviene, todos comienzan a mirar al matador, airados. Y el amigo del muerto se echa encima de él; le coloca sobre el corazón, que ya no late, las palmas de sus manos; le habla al oído:

— ¡Benito!... ¡Benito!...

Después de esperar unos instantes, levanta la cara y le dice al matador, despacio:

— ¿Por qué lo ha matado usted...?

El victimario suelta el revólver, que produce un ruido pesado al caer, y los gendarmes, avisados por Jenaro y por Eufrasia, entran en la sala.

Las amarillentas luces de sus linternas de aceite van y besan el rostro del infortunado muerto, melancólicamente, piadosamente...

Capítulo III

De bote en bote estaba el segundo salón de jurados; igual en la gradería destinada al público que en la estrecha tribuna de la prensa. Por la puerta de entrada, por la del gabinete de deliberaciones —que cae a la mismísima plataforma del tribunal del pueblo—, asoman apretados racimos de curiosos aguantando magullones, codazos, corrientes de aire, incomodidad de postura y calor mal oliente de multitud apiñada. ¡Mire usted que había gente!

En las afueras empinábanse arremolinados los que ya no podían penetrar en la impenetrable masa, y hasta en el brocal del patio mirábanse individuos sentados, con la vista y el oído convertidos al salón.

A pesar de los sendos gendarmes en la reja del gabinete de deliberaciones y en la del de los testigos, cuyas rejas dan al patio, los que no lograban entrar agolpábanse a ellas. A la del gabinete de deliberaciones, porque de ahí se percibían fragmentos de la audiencia, frases y respuestas de testigos, finales de párrafo de los discursos de los defensores y de los del ministerio público, trozos del proceso que leía el secretario con gangoso y monótono diapasón de clérigo. Luego, que el delito era de los que por derecho propio despiertan en las hipocresías sociales afán inmoderado de conocerlos aun en sus detalles más repugnantes y asquerosos ¡mejor!, que mientras más lodo se remueva y nos salpique, mientras más indecencias sean denominadas sin eufemismos ni circunloquios, mientras más sea dable go-

zar con el espectáculo tristísimo de un semejante caído
donde nosotros no caímos —gracias al acaso y nunca porque no cometiéramos, mentalmente siquiera, el delito en que
sucumbió un prójimo—, mientras más podamos contemplar a un infeliz solo contra todos, que fue más débil que
las pasiones que a todos nos afligen, más nos apresuramos
a concurrir y pelear un buen sitio y a no perder ripio de
los debates; más nos regocijamos de sólo ser espectadores
cuando pudimos ser actores en el drama que el jurado nos
representa teatralmente y de balde. En los abismos de aquellas almas hemos visto los abismos de la nuestra, idénticas
flaquezas, perversiones análogas; pero aquella alma es una
vencida y nosotros podemos retirarnos de la diversión al
acabar el drama; ¡hasta podemos condolernos en voz muy
alta de la suerte del condenado!

Santa, lo mismo que sus compañeras, tomó en un principio la cosa a guasa, y los amigos letrados del establecimiento de Elvira, aconsejaron a las muchachas cuál debía
ser su proceder y cuáles sus dichos. ¿Para qué perjudicar
al matador, si al fin el otro, el pobre muerto, no por ello
resucitaría? Hipólito, citado también como presencial, se
opuso a la estratagema; aparte los riesgos de mentir estimaba inhumano que fuesen a absolver al que tan inhuma-
namente había asesinado.

—Digamos la verdad pura, Santita, sin favorecer a nadie, lo que pasó y lo que vimos, es decir, lo que vieron
ustedes... de lo contrario, el amigo del matado, que ha de
cantar claro, descubre el pastel y nos embaulan en chirona.... y ni a quién quejarse, porque de sobra lo merecería-
mos por cochinos. Al cabo usted ya se va, ¿qué necesidad
tiene de andar en chismes con autoridades?

—¡Qué malos somos, Hipo!...

—¡Malos, Santita, malos!...

Convencidos de su maldad recíproca, se acercaron, sen-
táronse lado a lado en un rincón, sin más importuno que

Jenaro, quien de tanto andar pegado a su amo para auxiliarle en sus menesteres, casi no lo era. La plática cobró sabor y colorido. Jenaro aseguraba que las manos de ambos se juntaban y separaban sin que pareciera que los dueños lo hacían a sabiendas. Hallábase empeñado el ciego en averiguar si Santa amaba a Rubio o si con él se "comprometía" por conveniencia simplemente, y Santa insistía en que Hipólito le declarase si, hiciera ella lo que hiciera, el amor de él no se concluiría nunca.

Afuera, el público seguía arremolinado, empinándose para ver y oír, seguía el gendarme de la ventana ahuyentando a los que atraídos por la encerrada carne de deleite se llegaban a la reja y hacían guiños a las mozas.

Adentro, seguía la audiencia, interminable, plagada de formalismos; seguía la imperfecta e imbécil maquinaria del jurado cometiendo disparates y disparates. Santa e Hipólito reanudaron el hilo de su charla, Jenaro dormitaba.

Los curiosos que se arremolinaban en la otra ventana, la del gabinete de deliberaciones, oían más; alcanzaban a leer el enorme cartel impreso que cuelga de uno de los muros, ostentando en gruesos caracteres la inmortal y bárbara admonición que compone la parte tercera del artículo 314 del código de procedimientos penales: "La ley no toma en cuenta a los jurados los medios por cuales hayan formado su convicción..." Admonición que debe ser el faro iluminador de los que han de dilucidar culpabilidades por las impresiones recibidas; el Paracleto alado que ha de inspirar a una docena, cuando menos, de espíritus — algunos sobornables, vulgares casi todos —, en solemne Pentecostés en que se congregan para absolver o condenar a su hermano.

En el gabinete de los testigos empezaron a gruñir las impaciencias, ¿pensarían no llamarlos a declarar? El cuarto se oscurecía, la luz del patio que entraba por la ventana enrejada, liaba sus bártulos para ausentarse. Otra vez el comisario, acompañando al encendedor que prendió la lámpara del techo, mientras un colega prendía, afuera, la del farol del patio, que oscilaba suspendido sobre la fuente del centro. Al comisario, las muchachas y Pepa lo acosaron, ¿a qué horas las despachaban?...

—¡Nosotras tenemos nuestro quehacer! —afirmó Pepa sin rubores.

El comisario se rió mucho, dándose por enterado de la naturaleza del quehacer; pero les anunció que la cosa iba larga, que probablemente terminarían a la madrugada, en atención a que el juez había mandado una tarjeta a su esposa, y el agente, a buscar su capa:

—Hay empeño en concluir esto —agregó—, ya ustedes ven que apenas hace mes y medio que ocurrió el lance... ¡bastante hemos hecho!

Mientras, Santa puntualizaba a Hipólito por qué aún no vivía con Rubio: por el capricho de la esposa, llegado a destiempo, de ir a los baños de Puebla en busca de una maternidad que no venía jamás.

—A diario me despacha cartas y telegramas. Creo que es un caballero perfecto y que me he sacado la lotería, ¿no cree usted lo mismo, Hipo?

—Santita —replicó el músico—, no sé yo si será tan caballero como parece, lo que saco en limpio es que dispone de fondos en metálico, que le sobra mosca y algo es algo... Lo importante es que dé a usted lo que usted vale, lo que daría yo, yo que soy un pelagatos y un bueno para nada... lo que le daré a usted, ¡créame que se lo daré, Santita!, en cuanto usted consienta en que vivamos juntos.

De vez en cuando preguntaba Santa:

—¿Y luego, Hipo, qué haremos luego...?

—¿Luego...? Volver a principiar, lo mismito, sin cansarse nunca, sin nunca echar de menos pasatiempos nuevos, ya que por su desventura se sabían de memoria los pasatiempos depravados.

—No saldremos de los sencillos, de los naturales; y hemos de ser nosotros, Santita, los primeros en espantarnos de que con tan poca cosa se sienta uno tan feliz...

Algunas de las muchachas manifestaron que tenían hambre. Pepa consultó el reloj y vio con asombro que se aproximaban las once, ¡recórcholis!, era indispensable que les consintieran comer un bocado y que a ella le repusiesen su provisión de puros. Con dificultades logróse la comparecencia del comisario y se le prometió gruesa propina, ¿no estaba permitido comer y beber...?

Por supuesto que lo estaba, ¿qué apetecían...? Hízose la lista: sandwiches, cerveza, Banqueros del Destino para Pepa, café con catalán para Hipólito. Agolpáronse a la reja, a ver partir al comisario que provisto de un billete de a cinco pesos cruzó el patio lóbrego y desierto ya.

Con la lobreguez y el desamparo, no sólo el patio, el edificio entero recupera el aspecto de lo que ha sido, su triste aspecto de claustro.

La secularización se esfuma en las tinieblas; duermen en sus armarios los archivos; negras como ataúdes, las mesas y papeleras escóndense en las sombras de las estancias, se invisibilizan; los doseles de magistrados y jueces, los cortinajes de los "estrados" undivagan como disformes búhos satánicos; los techos crujen, la polilla cae, las arañas laboran, los murciélagos rondan, las iniquidades se ocultan o también reposan... Entonces la Suprema Corte deja de serlo, y el Tribunal Superior, y los juzgados civiles y menores, y el Registro Público de la Propiedad; entonces los viejos oratorios se iluminan, las austeras y desnudas celdas se pueblan, y por los tránsitos antiguos desfilan los antiguos inquilinos del convento que resucita... Y el portero asegura —¡no debe hacerse caso de lo que los porteros aseguren!— que se oyen plegarias y salmodias, que se miran sayales toscos, capuchones erectos que tapan semblantes cirios amarillentos que amarillentas manos flaquísimas sustentan, pies descalzos que caminan sin ruido.

—Vale que no hemos de habitarla ni usted ni yo, Santita —sentenció Hipólito buscando el sabroso rincón, con su palo, y con su mano libre, las dos de Santa.

Cargadísimo de vituallas tornó el comisario cerca de la medianoche; con lo que dicho se está que los que las aguardaban tirándose a ellas con hambre de náufragos, tanto más cuanto que de la sala continuaban sin llamarlos a rendir sus famosas declaraciones. Sólo hubo de invitados el comisario mandadero, que no se hizo de rogar, y los infelices gendarmes de la puerta y de la ventana que al pronto, agradecieron sin aceptar y al cabo aceptaron tentados por el olorcillo de las viandas y agobiados por lo indefinido del platón. Tuvieron que comer y que apurar las botellas con la mano zurda, en inaguantable conversión, desperdiciando líquido. Los demás, a sus anchas, pues el comisario garantizó que tal era la práctica al extralimitarse en duración alguna audiencia.

Inopinadamente atacó a Santa un escalofrío agudo. Se echo a temblar sin poder reprimirse, no obstante sus esfuerzos y los abrigos que solicitó.

—¿Por qué tiembla usted, Santita? ¿Se siente usted mal? —le preguntó Hipólito alarmado.

—No, mal no, he de haber cogido frío —repuso Santa con trabajos, por lo que le castañeaban los dientes—, ¡tiénteme usted!

A ese tiempo, el segundo comisario, asistido de un oficial de gendarmes, entró malhumorado y brusco a interrumpir la cena:

—¡Josefa Córdoba, a declarar!

—¡Vaya, hijo, bendito sea Dios! —le replicó Pepa levantándose con mucha pachorra.

Una de las chicas, luego de tentar la piel de Santa, aumentó las congojas garantizando que aquello era un dolor de costado.

—¡A ver, mujer, respira fuerte...!, ¿no te duelen las costillas?

Por fortuna, el turno de Santa debía ser de los últimos, pues Pepa regresó al cuarto de encierro —aunque ello está prohibido —, y las otras fueron siendo llamadas sucesivamente.

¡La conmoción que originaba al presentarse en la audiencia! En las gradas, un oleaje; un estremecimiento perceptible entre los miembros del tribunal, en plena plataforma, bajo el mismísimo dosel; una general fosforescencia en los ojos de los viejos, de los jóvenes, de casados y solteros, de serios y alegres; un deseo palpitante, tangible, en los rostros vueltos a las prostitutas que iban compareciendo resueltas, erguidas al pie de la barandilla, donde imprimían al mantón un gradual descenso para dejar al descubierto el busto encorsetado y provocante con las protuberancias de los senos cautivos que se brindan por debajo de los corpiños.

Esa conmoción subió de punto al presentarse Santa; sin escalofrío ya, aunque bastante descompuesta de fisonomía, las mejillas tintas, brillantísimo el mirar, las ojeras pronunciadas, cual si mucho hubiese llorado, sombreándole y agrandándole sus lindos ojos garzos.

Los funcionarios, los jurados, los concurrentes que llevaban sus diez u once horas de audiencia en incómoda postura, con enrarecida atmósfera, hurtándose unos momentos para ir y fumar un cigarrillo al gabinete de deliberaciones o beber un vaso de agua a las volandas, tenían el asunto hasta el copete, ansiaban cenar, moverse, hablar, salir de aquella sala congestionada de ácido carbónico, repleta de curiosos, de hedor de transpiraciones, de sospechosos alientos. Todos estaban ahítos del negocio que los congregaba, sabíanselo de memoria aun en sus nimios detalles. El reo, que a sus principios inspiró simpatías a unos y antipatías a otros, ya no inspiraba más que universal abominación, ¿por qué no terminaba el juicio? Con tal de que terminase, habríanlo absuelto o condenado con la misma frescura y la misma inconciencia. Sólo el reo, por lo ingrato del banquillo sin respaldo y por palpar que toda esa máquina al pellejo le tiraba, estaba grave, ligeramente encorvado, los brazos cruzados en el pecho, sin pestañear.

De suerte que el desfile de las prostitutas, aunque esperado y sabido, alegró a la sala.

Habituada Santa a despertar apetitos, y aun a provocarlos, nada hizo en esta vez, ni siquiera realzar sus encantos, que más de uno de los que la devoraban tenía saboreados. Se concretó a responder según la interrogaban: lo que oyó y lo que vio, la verdad pura que Hipólito le encareció confesar; con ganas de que le permitieran retirarse; sospechándose enferma a lo serio por el escalofrío intenso que venía de sacudirla igual que a árbol endeble, de apariencia de roble, al que el menor cierzo deshoja y abate.

Contrarió a tal extremo la actitud de Santa, cuando todos contaban solazarse la vista al menos, frente a la hetaira a la moda, que uno de los defensores no halló más recurso que inventar el repreguntarla. Y lo solicitó con la prosopopeya forense:

—Ruego al señor presidente de los debates que permita a la defensa hacer algunas preguntas a la testigo...

Hubo una general aquiescencia a la solicitud del abogado defensor, quien se encaró a Santa:

—Dice usted que los creyó reconciliados al verlos hablar en voz baja, ¿no es cierto?... ¿Qué palabras cruzaron? ¡Repítalas usted!

Santa no las recordaba ni tampoco supo qué clase de relaciones existían entre ellos...

El defensor, por oficio, salióle al encuentro y le opuso argucias que escuchó Santa arrugando las cejas... El defensor la enredaba:

—¡Cuidado con contradecirse! Usted ha declarado que presenció cuando los presentaban, después del primer altercado; conque, si los presentaron es claro que no se conocían, ¿cómo contesta usted ahora que ignora las relaciones que existían entre ellos...?

Acorralada, Santa quedóse sin responder por lo pronto, mirando de hito en hito al defensor, cual si éste debiera ministrar la respuesta que le exigía a ella; luego dobló la cabeza, para recapacitar, y a lo último dijo distintamente, encogiéndose de hombros:

—¡Pues no sé!... Es muy cierto que vi que los presentaban, pero no sé, de veras no sé eso que dice usted de las relaciones...

Los prácticos en estas urdimbres, preparáronse a aplaudir el ensañamiento del defensor, que probablemente metería a la testigo en un berenjenal sin salida. Chasqueáronse, sin embargo, ya que se limitó a significar a Santa un "está bien" rebosante de amenazas, y al juez un "estoy satisfecho" que daba el opio.

Al salir Santa, la acometió un segundo escalofrío menos rudo pero más persistente, y todavía obligáronla a permanecer un largo cuarto de hora, en el de los testigos.

No chistó sílaba dentro del simón con sus vidrios incompletos, desde la calle de Cordobanes a la puerta de la casa de Elvira. Pepa, que se la acostó en el regazo y que sintió que ardía, la tranquilizó a la vez que maldecía de los autores del pésimo rato:

—¡En sudando, tú te alivias, criatura...! Pero ¿visteis (a las dos mujeres instaladas en el vidrio del carruaje) lo tiesos que se ponían Fulano y Zutano en su papel de alcaldes? ¡Lipendis...!, ya me pagarán la lata en cuanto aporten por casa.

Derechito a sus anchas camas, intocadas aquel amanecer por la carencia de clientes, fueron a parar las testigos del homicidio. Juraba Elvira lo propio que un carretero, contra los peleles del juzgado que, indebida y atontadamente —clamaba frenética—, por dizque averiguar un suceso más claro que el agua, habíanle retenido sus reses;

con lo que sus parroquianos, los del fuste, los que pagaban sin cicaterías ni ruindades, ¡hasta el *Jarameño*!, se le fugaron echando chispas después de paciente espera, a saciar su sed de hembra en los prostíbulos rivales del barrio. Parada en medio de su ganado sumiso, babeaba de ira, examinábalas una por una, golpeábase los grasos muslos flácidos, que recibían el golpe trepidante, como perniles manidos o gelatinas a punto de derretirse:

—¿Y quién me indemniza a mí, vamos a ver, quién?... ¡Me caso con la Biblia, corcho!... ¡Lo menos me hacen perder doscientos duros! Cualquiera me vuelve a matar aquí, ¡qué poca vergüenza!... que se maten en la calle, como los perros, y que la dejen a una ganarse su vida. Mañana os cobraré "sala" doble, no sola yo he de perder... sacadlo vosotras de vuestros marchantes, que os sobran mañas para ello... Y tú, Hipo, ya te me estás largando, ¡lila! ¿No hubo piano?, pues no hay guita, ¡ea!... ¡Ésa, que sude, Pepa, darle un buen trago y arropármela!

Trepó las escaleras bufando, se oyó el portazo que daba en la vidriera de su cuarto, al encerrarse. Hipólito, afligidísimo, solicitó y obtuvo de Pepa la gracia de quedarse velando a Santa, por si empeoraba o necesitábase que alguien fuera a la botica, a buscar a un médico:

—Si ella lo consiente, por mí sí —resolvió Pepa trasteando botellas en la alacena del saloncito para alistar la pócima.

Santa, que mientras Elvira disparaba rayos y centellas, se había acostado, demostró su consentimiento encogiéndose de hombros; el escalofrío la agitaba demasiado, a pesar de la montaña de cobertores y colchas que resistía. La calentura, alta, teníala sumida en densa modorra.

Instalóse Hipólito a la cabecera de Santa, después de poner en el suelo una almohada a Jenaro, que el lazarillo se dormía parado. Ya Santa, automáticamente, había apurado la pócima y reintegrádose a su modorra.

—¡Santita! —le murmuró Hipólito—, ¿sabe usted quién soy yo?... ¿Me reconoce?...

—Sí. Hipo, sí lo reconozco hablar pero me cuesta tanto hablar... ¡De esta me muero, Hipo, yo sé que me muero!

Horas negras las que pasó el músico mientras amanecía para los demás —¡que para él no amanecía nunca!—, pegado al lecho de lo que más idolatraba. ¿Qué tendría Santa...? Algo muy grave, gravísimo, las enfermedades benignas no asaltan de súbito con intensidad tamaña, o si lo realizan, no se presentan acompañadas de tan alta fiebre. ¿Cuánto tiempo duraría postrada?... ¿Curaría?... Caso de curar, ¿cómo quedaría...?

Santa rompió a hablar, desvaríos de fiebre, reconstrucciones trágicas de su niñez, trastocamientos de fechas y sucedidos: el *Jarameño*, en su casita blanca de Chimalistac; Rubio, de alférez, de gendarme, queriendo seducirla en la casa de Elvira; Santa casada con el compañero de sus hermanos en la fábrica de Contreras, el tañedor de guitarra que por ella se perecía cuando ambos eran muy jóvenes; Jenaro, de hijo de ella, e Hipólito, trasmutado en sus dos hermanos, los hidalgos rústicos que la repudiaron y maldijeron:

—¡Fabián! ¡Dame agua del pozo que está helada...! ¡Esteban!, no dejes que Cosme galope al retinto... ¡Qué sol, Dios mío, qué sol...!

E Hipólito, que no contaba con esto, que jamás había oído el delirio de nadie, perdió el tino, y, por pronta providencia, despertó a Jenaro.

—Lo que está es muy grave, Jenaro, ¡quién sabe de qué! ¿Crees tú que se muera?...

—¿Que se muera?... —repitió Jenaro. Y luego de una gran pausa meditativa, añadió—: ¡Pues, amo, eso sólo Dios!

En éstas, un golpe de tos de la enferma interrumpió el coloquio; Santa revolvióse en la cama, se retiró el embozo y las ropas, se inclinó hacia fuera buscando algo, sin identificar a sus dos amedrentados veladores.

— ¡Santita! — suplicó Hipólito yendo de un salto junto a Santa, cual si no fuese ciego —, ¡no se destape usted! Dígame qué quiere...

— ¡Escupir! — tartamudeó Santa trabajosamente por no hacerlo en las sábanas.

— ¡Anda, Jenaro, menéate tú que ves! La escupidera para Santita, ¡pronto!

Alargóle Jenaro el trasto, Santa escupió, con más tos después de escupir, resopló acalorada, miró a Hipólito, a Jenaro y la estearina que se concluía en su palmatoria con flama larga y trémula, se dejó caer de espaldas, intentó darse aire con el pañuelo, y volvió a su modorra y a su tema:

— ¡Uf!... ¡qué sol, Dios mío, qué sol!...

— ¡Sangre, patrón, la niña Santa ha escupido sangre! — anunció Jenaro considerando el esputo adherido al plano inclinado de la escupidera.

— ¡Quítala de aquí, Jenaro! — le mandó el pianista, que no veía gota. Y como en soliloquio, agregó —: ¡Sangre!... entonces sí que se muere.

Y no, no se murió, aunque la pulmonía fue de patente. Ora su juventud y su naturaleza de campesina —que lucharon a brazo partido en unión de drogas y cáusticos—, ora el manifiesto capricho que preside el curso misterioso y el imprevisto desenlace de las enfermedades graves, que se apagan cuando matar debieran y matan cuando debieran apagarse, el hecho es que Santa, a los siete días de haber sido atacada, fue dada de alta, recomendando, sí, los mayores cuidados posibles en la convalecencia que comenzaba sobre buen pie. "Una recaída —pronóstico textual del facultativo liquidado— sería forzosamente funesta".

Santa, afortunada, renació a la vida en las mejores condiciones: por segunda vez, abandonando el burdel y sus antihigiénicas esclavitudes; ignorante de los riesgos corridos y de las maldades en su contra desencadenadas durante la dolencia; ignorante también de la heroicidad del *Jarameño*, a quien nunca volvió a ver; convencida de que Rubio, el amante nuevo, la quería de veras y la mimaría a pedir de boca; convirtiéndose de la noche a la mañana en dueña y señora de una casita, con criadas de ella y muebles de ella y todo de ella, en cuenta, unos pájaros que se prometía colgar en los corredores para que con gorjeos alegraran la vivienda y en la morada evocaran placenteros recuerdos de días desaparecidos y felicidades difuntas...

Hasta la estación resultaba propicia, en pleno verano, mediando el mes de julio con sus lluvias torrenciales que refrescan y limpian; con sus atardeceres deliciosos y sus noches tibias, consteladas, casi pensativas; noches en que puede uno sentarse al aire libre y platicar con las estrellas, y ofrecer la propia enmienda por lo malo que hicimos y que ya no hemos de hacer nunca más... Luego, el interno regocijo que nos inunda por haber escapado de la muerte, y que todo lo poetiza, Santa padecíalo hondamente; quería a sus compañeras, Elvira y Pepa inclusive, interesábale Hipólito; la enternecía Jenaro. El roñoso y anémico jardín que medio oculta al burdel, teníalo Santa por floresta sin par, y tras de los vidrios de un dormitorio alto, entrapajado y tornando a la salud, hallaba simpática la calle, virtuoso el barrio, la ciudad grandiosa, incomparable la vida.

Fue su despedida placentera, en temprana hora para que el amenazante aguacero le permitiese, antes de desencadenarse, ganar su morada; el burdel tranquilo y silencioso, sin marchantes ni importunos, con un carruaje de bandera azul, muelles y auriga experto, que evitaría los tumbos. Santa, muy débil, muy flaca, muy pálida, andando poquito a poco del brazo de Hipólito, a quien Rubio —que no osaba exhibirse de día con su conquista— comisionó para acompañar a la convaleciente. El mujerío, despeinado, en zapatillas y con batas que se desabotonaban descaradamente, salió hasta el coche a despedir a la libertad. Eufrasia lloraba a moco tendido, y Elvira, entre bromas y veras, vaticinó desgracias:

—Vaya, hija, que sea para bien, pero no te engrías ni sueltes a este "primo". Guarda los parneses y procura no ponerte fea, no sea que cuando tú necesites volver al burdel, ya ni el burdel te quiera...

¡Qué esfuerzos tuvo que imponerse Hipólito para no reventar y narrarle a Santa lo que ignoraba! Contúvose, sin embargo. Que no supiera lo mal, y así no se le amargaría su existencia próxima; que no supiese lo bueno, y así acabaría ni recordar al torero, quien, al fin y a la postre, si aún no se marchaba para su tierra, marcharíase en breve, y con los años, la distancia y la ausencia, también se le borrarían de la memoria sus aventureros amoríos con una mexicana. A él, Hipólito, ni lo bueno se le olvidaba: cómo con la gravedad de Santa, coincidió un incesante telegrafiar de Rubio, desde Puebla, llamándose a burlado por la carencia de respuestas; cómo él, por su ceguera maldecida, no pudo enterarse ni disculpar a la enferma; cómo Elvira se permitió violar los telegramas acusadores y vino en aclarar que la *santita* fraguaba una segunda escapatoria de sus garras... Feroz, resolvió que la ingrata —¡qué barbaridad, ingrata!— adonde se iría desde luego sería al hospital, ¿o se imaginaría que por su linda cara la había de mantener echada en la cama y sin que su cuerpo pagase lo que comía...?

Y aquí entraba lo bueno, personificado en el *Jarameño*, ni más ni menos, y así Hipólito le pesara reconocerlo y consolarlo, que no le pesaba, ¡lo justo, justo! Santa, gravísima, con pulmonía, el doctor teníale dicho que no aseguraba la cura. Él manifestóse incrédulo, indiferente en seguida.

El *Jarameño* sólo se convenció al penetrar en el cuarto, que olía a medicinas; al sentir con su tacto que la muchacha ardía y que no atinó a identificarlo por más que le clavaba sus ojazos calenturientos. Con detenimiento informóse de síntomas y detalles, de quién era el facultativo, de si Santa —y eso lo repitió cuatro o cinco veces— carecía de algo... Estalló al quinto día que la gravedad fue menor y que Elvira determinó el inhumano envío de Santa al hospital. De la habitación sacó el espada a la dueña, y en el patiecito, delante de sus pupilas, de la "encargada" y de la servidumbre, en ese idioma que hablaba, salpicado de terminajos que serían españoles de España, pero que en México ni Hipólito ni nadie los entiende, la puso de asco, la achiquitó a palabrotas, y a berrinche:

—Tú no eres más que una tía zorra, y una pindonga, y una chamarra ¿estás...? Y a Santa, ninguno la mueve de esa cama, ni el santísimo nuncio, porque al que se atreva, lo abro, ¡tal por cual!, lo que es a mí no me das coba... Y pa'lo que sea menester, aquí tiés cien duros, ¡so esto y so aquello...! Y si más hace falta, más daré, ¡ajo...! Y a ella no se le dice quién ha pagado, porque aquí no ha pagado nadie, ¡recorcho...! Y que viva con quien quiera, si es que no se muere... y que sea feliz, ¡hostia!, que no vuelva a ser germana...

Conforme Santa mejoraba, el *Jarameño* espació sus visitas, no se le mostró más; inquiría noticias, reiteraba su pregunta de si algo le faltaba, y la víspera de que la dieran de alta, ya ella en sus cabales, él se eclipsó, generosamente.

¡Por bobo iba Hipólito a contar heroicidad semejante!

Rubio, apostado en la vivienda, salió al encuentro del coche y ayudó a que Santa se apeara sacándola poco menos que en vilo.

Para recompensar a Hipólito por lo que, seguro, estaría padeciendo, Santa, en la acera, dióle las gracias, hizo que Rubio se las diera también:

—Ya lo sabe usted, Hipo, puntualito a visitarme, que Rubio lo consiente... Y con Jenaro, traiga usted a Jenaro, Hipo...

Aquello no era convalecencia, con su séquito de residuos, molestias y temores, era renacimiento inefable a una existencia buena, nueva, insoñada.

Es claro que Rubio no la amaba con vehemencia, ¿y qué?, hallábase él muy lejos de ser un nene y ella aún no se despercudía del todo. Luego se vería.

Mas ¡ay!, que con el segundo mes y con el tercero, lo que se vio descorazonó a Santa.

Además de que Rubio no la quería, la despreciaba; y a cada paso de la prostituta hacia la quimérica e inasible Tierra de Promisión —a cuyos lindes creía ir llegando—, cada vez que las alas entumecidas y torpes de su alma convaleciente pero en vía de alivio, intentaba volar a la altura, Rubio encargábase de desengañarla en términos rudos, con saña de amante:

—Las meretrices no arriban a las tierras de promisión, ¡no faltaría más!; las almas de las mujeres perdidas no vuelan porque no poseen alas, son almas ápteras...

Efectuábase en Rubio un fenómeno común y explicable, por mucho que Santa no se lo explicase; víctima de la amargura con que lo obsequiaba su hogar tambaleante, supuso que una querida de los puntos de Santa mitigaría su duelo y le proporcionaría los dulces goces a que se consideraba acreedor. Pero se percató pronto que los remedios que vende el burdel son ineficaces, y de que a Santa ni con labios de bronce que en toda una vida se cansaran, le rasparía las entalladuras acumuladas y hondas de las ajenas caricias y de los besos de otros. Los horrendos celos retrospectivos, unidos a la perenne y humana presunción de que nosotros nada más seamos los preferidos y los primeros, desoldó el quebradizo vínculo que los engañaba y los mecía juntos. Exasperado Rubio con su esposa, acababa de exasperarse con su manceba; iba de la una a la otra con la certeza de que ya habrían cambiado y alguna de las dos satisfaría lo que él venía persiguiendo, y frente al doble desengaño, enfurecíase, con distintos modales y lenguaje distinto increpaba a las dos, sin hallar consuelo. Un descubrimiento empeoró la situación: sus modales y su lenguaje para con ellas eran distintos, aun se decía a sí mismo que respetaba a su esposa, que carnalmente tan sólo estimaba a su manceba, que nutría dos afectos diversos y compatibles —la hipócrita y falsa moral burguesa practicada por Rubio desde niño—, y ellas, en cambio, cual si se conociesen y aconsejasen, cual si estuviesen elaboradas de una propia masa para afrontar sus respectivos conflictos sentimentales, aunque las separaran millones de leguas —¡alabastro la una, lodo la otra!—, tenían, sin embargo, criterios análogos, análogos mutismos, pasividades y respuestas, recibíanlo casi igual, casi igual lo despedían... Y una verdad leída no sabía dónde impúsosele a Rubio, un concepto descarnado con el que colmaba la ofensa inferida a la esposa con el vulgar adulterio:

—"...¡Entre las mujeres no existen categorías morales, no existen sino categorías sociales. Todas son mujeres!..."

Luego que las entrañas del amor las informa, el odio principia en el deseo y no concluye en el espasmo, sino en el asco; no asco instantáneo que a las veces tradúcese en la tortura de palabra y aún en la de obra, y a las veces, domeñado por la autosugestión, se traducen en reposo y mutismo, en una nueva embestida que no intentamos por volver a poseer a la persona amada, sino para convencernos de que de veras amamos. La voluptuosidad confina con el cansancio y el hastío y el acto carnal con el crimen —aunque la mayoría, por fortuna, no perpetre este último—; pero, sin excepción. No hay hombre, por enamorado que esté, que no sufra de instantes de repugnancia hacia el espíritu que venera y la carne que adora.

Por todos estos estados psíquicos, agravados con que, en el fondo, nunca había amado a Santa, atravesó Rubio; y las ternezas de los comienzos, las confidencias iniciales abochornábanlo ahora. Porque se lo había dicho todo, según es de rigor en cualquiera junta sexual, a la que se recetan una fidelidad ideal, un interés noble y sin límites, una duración perpetua. Vació en su querida las hieles que su esposa le vertía, las arideces de los cónyuges que no se compenetran, las melancolías letales e incoloras en que se consumen los matrimonios desavenidos. Y cuando su querida se amedrentó, dióse a injuriarla, no porque ella era lo que era, sino por haber sido él ligero, indiscreto, débil.

Santa llegó a despreciar a Rubio — ¡y quizá hubiese podido amarlo si él explota las simpatías de ayer!

Impedimento de marca mayor por igual estorbábaselo: Santa sentíase atacada de insidioso mal venido a luz con la pulmonía.

— ¿Qué será Hipo? — preguntaba al músico, en absoluto desconocimiento de las infelicidades de Santa, a pesar de que menudeaba sus visitas, asociado a Jenaro. —No he de consultar médico, porque Rubio se creería cosas que no son, y no quiero volver con Elvira.

Entonces Santa, a la que prescribieron para su convalecencia un uso moderado de alcohol, fue gradualmente aumentando la dosis, toda la gama, desde el coñac fino hasta el aguardiente que abrasa y corroe. Contrajo el alcoholismo, tiróse a él, más bien dicho, como al único Leteo adecuado a sus alcances y desgracia.

Cuando al fin Rubio se enteró, al cabo de varios perdones y participaciones en excesos alcohólicos, cuando la expulsó despiadada y brutalmente, Santa estaba borracha. Al cochero, que le propuso al reconocerla llevarla a casa de Elvira, le contestó riendo y tambaleando:

—No, allí no... llévame a otra, hombre, de tantísimas que hay, pero que sea de a ocho pesos siquiera... ¡todavía los valgo!

Capítulo IV

Igual a lo que se pudre o apolilla y que, en un momento dado, nadie puede impedirlo ni nada evitarlo, así fue el descenso de Santa, rápido, devastador, tremendo.

Los sombríos círculos de la prostitución barata, los recorrió todos apenas posando en ellos lo bastante para gustar su amargura infinita y no lo suficiente para a lo menos tomar resuello y con alientos mayores, después de un poco de relativo reposo, continuar descendiendo como descendía, a trompicones, con dramático paso, cayendo y levantando, enferma, alcohólica, lamentable. Diríase, al verla, que ahora caminaba a tientas, encogida y medrosa —como caminamos en las tinieblas—, ignorando dónde pararía, procurando lastimarse lo menos posible, ya que sin lastimamientos, no caminaba, resignada corporalmente ¡sólo corporalmente!, pues para sus adentros, ¡quién sabe qué maldiciones mascullaba entre los hipos de sus ebriedades pertinaces y entre sus labios trémulos, que hablaban sólo cuando el alcohol concedíale cortos descansos y ella recordaba tiempos mejores, días que fueron, que habían sido...!

Desde la noche en que Rubio la repudiara indignado por la flagrante infidelidad, Santa bajaba, siempre más abajo, siempre más; no cual si Rubio simplemente la hubiese repudiado del apócrifo hogar, sino cual si dotado por milagro repentino, de una fuerza sobrehumana, la hubiera echado a rodar con empuje formidable por todas las lobregueces de las cimas sin fondo de la enorme ciudad corrompida. En ellas rodaba Santa, en los sótanos pestilentes y negros del vicio inferior, a la manera en que las aguas sucias e impuras de los albañales subterráneos galopan enfurecidas por los oscuros intestinos de las calles.

La noche de la quiebra con Rubio no previó nada, habituada a triunfar con su carne de deleite y de pecado, envalentonada con el alcohol que de poco tiempo acá suavizábale los dolores de su cuerpo enfermo y los que fatalmente producíale su desastroso vivir, no prestó al suceso la mínima importancia; ¿que se había concluido el encierro con uno...? ¡Bravísimo!, demasiado duró; ya vendría otro, y si ese otro no venía, ya volverían todos, ansiosos, suplicantes, a implorar, no que los amase, sino que se dejara amar de ellos, humildes, pacientes, ridículos; con los mismos ademanes, las mismas ofertas, los mismos estremecimientos y las misma tonterías... ¿Los hombres...?, ¡bah! Y se reía del sexo entero, compadecíase de los que se denominaban "los fuertes"; recordaba esta actitud y aquella cara y, sin poder remediarlo reía, reía, rió más alto, dentro de los mugrientos interiores del simón que trastabillaba en el arroyo. Un instante pensó buscar a Hipólito y comunicarle la ruptura, su decisión de no volver a la casa de Elvira, pero a causa de los entorpecimientos de su voluntad de dipsómana, rechazó la idea, hasta continuó riendo del asombro que causaría al músico encontrarse con el nido vacío y el pájaro volando. Le avisaría después.

Cuando el coche se detuvo. Santa desconoció el sitio.

—¿Qué casa es ésta? —preguntó al cochero que abría la portezuela.

—Aquí hay muchas gringas que hablan en su lengua...

—¿Americanas...?, ni a tiros ¡bruto! ¿No sabes que no nos quieren...? Llévame a casa de la *Tosca*, en el callejón de...

—Ya sé, ya sé —contestó el auriga encaramándose en su pescante y azotando los caballos—, ¡orita llegamos!

Contra toda probabilidad, la *Tosca*, competidora, paisana y enemiga de Elvira, no admitió a Santa, por la especie de francmasonería en que se agitan las inquilinas de los prostíbulos; sabíase que aunque Santa era artículo de grandísima demanda, se "comprometía" con frecuencia y los parroquianos serios se enfadaban y preferían en establecimiento diverso mujeres menos guapas y a la moda, pero más sufridas y constantes.

Y la *Tosca* en persona, sin testigos, en su alcoba chillante de ama de tales casas, le brindó un anís y muy cogida de las manos de Santa, tranquilamente la desahució, sonriendo y endulzando la repulsa:

—Pues verás, hija, por qué no te tomo, verás... Lo que te dije de que no hay cuarto disponible es mentira, que siempre se te había de hallar un huequecito donde la pasaras tan contenta... No, lo que sucede es que no deseo ponerme de uñas con la Elvira, ¡ya ves tú!, ella me perjudica y me busca la vida, ¡con su pan se lo coma...! y calcúlate, calcula lo que diría y lo que me haría. Además, tú andas liada con un tío de mucha guita, lo sé boba, ¿qué te crees...? No, no me salgas con que habéis reñido, ¡ea!, que tú y yo sabemos que esas riñas duran lo que a nosotras nos pega la gana... El pobrecito te buscará y haréis las amistades, y yo un pan como unas hostias si te recogiera...

Santa intentaba terciar, poner los puntos sobre las íes, y de no lograrlo, porque la *Tosca* no consentía baza, conformóse con apurar a pequeños sorbos las copas sucesivas que le escanciaban, sin contarlas, iracunda, retozándole en la garganta palabras soeces.

—No, no me interrumpas chica, que yo no soy fácil... ¡Tú andas enfermita, créeme a mí, se te ve en el semblante, criatura!...

Muy airada por lo que oía y muy insegura por lo que tenía bebido, Santa se levantó y soltó a la *Tosca* las palabras soeces que en antes retozábanle en la garganta.

—Vine a tu casa por favorecerte, ¿lo oyes?, pero a mí lo que me sobra es dónde vivir, y rogada, mal que te pese... Hemos concluido tú y yo, que lo que es ahora ¡por cualquier dinero me quedaba contigo!... ¡cóbrate tus anises! —terminó arrojando a la bandeja un par de duros.

Y más ebria aún, se echó a la calle, resuelta a no llamar a nuevas puertas, siendo como era tan tarde, la hora en que esas casas "trabajan" y no contratan pupilas; segura de que dondequiera que se presentara recibiríanla en palmas; en el fondo, herida en su amor propio por la conducta de la *Tosca*. Su coche, aguardábala.

—¿Qué hora es, tú? —balbuceó pugnando por abrir la puerta del vehículo.

El cochero dijo una hora que Santa no entendió a las derechas. Vacilante penetró en el carruaje y asomada a un ventanillo agregó:

—Ahora, a la fonda de las Ratas, que me muero de hambre... ¡Ah, te convido a cenar si le apuras a los cuacos!

No quiso entrar en el fonducho, al que por humorada fuera distintas veces en unión de señores principales, el que debe la fama de que disfruta a lo excelente de sus platos populares, guisados con maestría.

—Que me sirvan en el coche —mandó Santa al cochero—, pide cosas que piquen, y que a ti te sirvan en el pescante.

Santa jamás recordó la terminación de la noche aquella. ¿Dónde se encontró al mocito entre cuyos brazos despertó después del mediodía siguiente, en un hotel pésimo de la calle de Ortega...?

—¿Ya despertó usted? —le preguntó, cual si los abiertos ojazos de Santa no fueran prueba plena de su despertar.

—¿Pues no lo ves? —repúsole Santa, con su profesional tuteo—. ¿Quién eres tú? ¿Por qué estoy contigo? ¿Qué cuarto es éste?

El conturbado adolescente —dieciséis años a todo tirar— tuvo un arranque de sinceridad juvenil, y parándose a media estancia, en camiseta, lavado de cara y manos, accionando con la toalla a guisa de bandera de parlamento, despejó la incógnita:

—Se lo voy a decir a usted todo, ¡la pura verdad! Ya esto no tiene remedio y no quiero que usted vaya a formarse juicios desfavorables; prefiero que me mande usted preso, de una vez, a que se crea lo que no es...

—¡Que yo te mande a la cárcel!... ¡Y qué me has hecho!

El muchacho, siempre muy colorado, confesó su hazaña. Era estudiante, y estudiante pobre, de la preparatoria, sin su familia en México. Hacía bastante tiempo, lo menos un año, que había conocido a Santa en una "tanda" última del teatro Principal; ella, elegante, alhajada y guapa, con otra muchacha y dos sujetos bien puestos que intentaban ocultarse en el fondo del palco. Prendado de ella, tomó informes y supo en qué casa vivía, cuánto costaba visitarla y qué difícil resultaba el lograrlo, aun disponiendo de la suma, crecida para los flacos bolsillos de él. Tenía novia, y bonita, y las noches en que conseguía charlarle a la ventana, despedíanse con un beso, entre los barrotes... Había tenido amores de más enjundia con una costurerita del *Palais Longchamps,* ¡el de la calle de Plateros...!, y una dependienta de La Imperial, esa casa americana con espejos en la que venden sodas y helados, acogía sus requiebros, sus ramos de violetas, había aceptado su invitación de ir con él solo a las luces de los Ángeles, hasta las diez...

—¡Pero con usted nunca pude! —continuó, yendo a sentarse a la insegura cama, que gimió con el duplicado peso, y en la que Santa embelesada lo escuchaba—, ¡no, nunca! Llegaba yo al jardín, ¡vaya, una noche hasta me asomé a la sala! Anoche, ya tarde, yo salía del teatro Arbeu y me la encontré a usted frente a la botica de las Damas, rogándole al cochero que tomara una toma de acetato, estaba usted semicongestionada, ¡caracoles...! La reconocí, ¡y me dio un gusto...! Le hablé a usted por su nombre y usted me contestó de tú, me dijo: "Súbete aquí, conmigo, y la correremos juntos". ¡Al sordo se lo dijo usted!, que no había acabado de decirlo y ya estaba yo adentro, pegadito a usted que se me recostó en el hombro. Lo malo fue... —y calló, púsose a retorcer la toalla, más encarnado todavía.

—¿Qué fue lo malo? Dímelo bobo, ¿qué fue?...

—¡Bueno, pues sí! —exclamó el estudiante después de reflexión breve—, fue lo malo que el cochero se insolentó al ordenarle yo que nos llevara a la casa esa en que usted vive. Le di las señas y, riéndose el muy ordinario, me plantó en mi cara que si no se le liquidaba no daría ni un paso, y se dignó traernos a este hotel; ¿qué hacía yo con usted dormida y trastornada, en medio de la calle?... El cuarto se debe, hay que pagarlo ahora, a la salida, y si usted no desconfía como el cochero, en cinco minutos voy y consigo los cuatro reales, ¿quiere usted?... Luego, en abonos, yo le iré dando lo que usted cobre por una noche entera, pues no pude resistir mirándola a usted y... ¡desnudándola! —concluyó por lo bajo.

Rato llevaba Santa de estar gozando inmensamente con la chusca confesión de su enamorado, por lo que al llegar a este punto, echósele encima, como loba que era, y ambos rodaron abrazados por la cama gemebunda y débil.

—Hiciste divinísimamente bien, ¡zopenco!, ¡sabroso!, ¡feo...! Vuelve a desnudarte, ¡conquistador!, y no te acuerdes de tu costurera ni de tu novia, acuérdate de mí nada más y ven, ¡mi vida!, hártate de mí que te me doy toda, ¡óyelo! Te me doy de balde, hasta que te canses, para que vuelvas a soñar con Santa...

Lo mismo que ogro hambreado pegóse Santa un festín con aquella juventud que, a su vez, mostraba afilados colmillos y un apetito insaciable. Cómo mordía, ¡canijo!, ¡cómo mordía y cómo devoraba, sin refinamientos, depravacio-

nes ni indecencias, sino a lo natural, con glotonería de dieciséis años, deliciosamente!...

—¡Ay, Santa! ¡Santa! —suspiraba durante las treguas,
rendido—, ¡qué linda eres!

No necesitaba Santa apelar al arsenal de torpes exci-
tantes a que apelaba en el ejercicio de su socorrida profesión. Con mirarlo, con moverse, con respirar lo enardecía;
y él volvía a la carga con bríos mayores, en parte, por exigencias orgánicas casi vírgenes, y en parte, por hacer provisión, lo más que se pudiera, de mujer codiciada, superior
a sus medios y que quizás no volvería a disfrutar en muchos años, hasta que no ganase costales de dinero.

Dióse por vencida Santa, en dulce y nunca experimen-
tada derrota; y sacándose de la media un lío de billetes de
banco, ella ordenaba, ¡cuidadito!, invitó a comer. Un criado marchó en solicitud de viandas; una comida de fonda
humilde, rociada con cerveza barata, que les supo a ban-
quete.

Entristeciéronse ambos, al ponerse a la luz, olvidados
de que en esta pícara vida todo concluye, todo, aun ella
misma. Nada se habían prometido ni nada habían recordado, por lo que su junta resultó encantadora. A causa de
la falta de promesas, no tuvieron que engañarse ni se
adelantaron las desazones que ya el prometer trae consigo; y a causa de la falta de recuerdos, no resucitaron penas
ni amarguras, las que, parecidas al polvo de lo que se tiene
arrumbado en los arcones de las casas o en los armarios de
las memorias, salen revueltas con las reminiscencias pla-
centeras cuando manoseamos los días viejos o cuando
oreamos las momias de las épocas difuntas. Ellos no, celebraron y festejaron su imprevista conjunción, sin enconos
por el pasado ni aprensiones por el porvenir. Se besaron,
vivieron largos años en fugaces minutos, y al separarse
por corporal cansancio, se sonrieron satisfechos, plácidos,
agradecidos mutuamente de no haberse escatimado voluntades ni caricias.

Su conjunción fue un doble crepúsculo; para el estudiante, con sus dieciséis años, crepúsculo de aurora, de alba; para la infeliz Santa, un crepúsculo de atardecer de noche que comienza pero que todavía no amedrenta, que con su media tinta adormece cuitas, disminuye dolores y promete descanso. Como todos los crepúsculos, fue bello para el uno y para el otro. A la donación espléndida del cuerpo de la moza, pagó el doncel con la ofrenda soberbia de sus besos y de su juventud. Nada se debían, por eso nada se cobraban. Y se separaron tan contentos.

¡Pobre Santa! ¡En cuántas ocasiones después de esta fecha grata, no recordó hasta sus detalles más nimios! Diríase que su casual encuentro con el estudiante había sido análogo a la luz del fósforo que encendemos para avanzar en lo oscuro. Alumbra, sí, pero tan poco, y se nos consume al necesitarla tanto... Porque, a contar de aquí, el descenso de Santa convirtióse en un despeñamiento idéntico a todos los despeños; rapidísimo, implacable, sin nada ni nadie que lo evite o remedie. Sólo había algo que caminara más de prisa que su despeñadura: su enfermedad, los dolores aquellos, en su principio raros y ya tremendos, ahora frecuentes, lacerantes, preñados de fúnebres presagios. Atribuíalos Santa al mal que terroriza a las prostitutas, que tarde o temprano casi siempre las atrapa. Había crisis insoportables, que sumían a Santa en un infierno de penas del que salía, sin embargo, con el semblante normal, el color firme y sin menoscabo las curvas de su cuerpo. Notaba, no obstante, cierto agravamiento al concluir de proporcionar placer a los que con su dinero exigíanselo y, al propio tiempo, no se reconocía fuera de combate, llevaba a cabo prodigios inauditos de fingimiento y resistencia.

Mientras las joyas produjeron dinero, la situación anduvo tal cual; se pudo cohechar a los "agentes" que con ferocidades de milano y afán de enterradores perseguían al ave enferma y próxima a perecer; se pudo conservar algo de legítimo orgullo, protestar contra inhumanas exigencias de amas de burdel, mudar de casa, hasta instalarse en vivienda privada, de la que hubo que desertar en breve. Pero las joyas se fueron a pique y se apeló entonces a los trajes de coste, las sedas y rasos que no se estimaban antes cosa mayor, los sombreros, abrigos y plumas que antes contábanse a docenas. ¡Qué atrocidad, todo se iba! Y al paso que la pobreza y la desnudez se afianzaban, el descrédito cundía y la traidora enfermedad agravábase.

Con perfecta conciencia de que se hundía, Santa continuaba hundiéndose. Para que le dolieran menos los golpes, declaróse decididamente la querida del alcohol, que siquiera la adormecía.

Hipólito venía sufriendo más, mucho más que la misma Santa. Al iniciar el descenso, es decir, después de la repulsión de la *Tosca*, sin embargo de no ver él nada con sus ojos ciegos, olfateó el siniestro, y en medio de eufemismos predíjoselo a Santa.

—Descanse usted, Santita, que a más que el descanso ha de venirle de perlas, necesita usted borrar la impresión que a fuerza ha de originar su quiebra con ese Rubio y el desaire de la *Tosca*.

—Realizar un deseo que ya se me enmohecía de puro viejo, Hipo —decíale al músico escandalizado—, conocer cómo viven las prostitutas pobres. Si no me agrada, siempre habrá tiempo de desandar lo andado y de volvernos atrás. Soy casi rica, Hipo, no se apure usted, y en realizando este capricho o regreso a una de las casas de lujo o me pongo a vivir con usted, muy sosegada, para que usted alcance su sueño y yo me alivie.

Y, finalmente, venciendo los ascos que le inspiraba el ciego —ascos que por el alcohol y el encanallamiento progresivo tendían a borrarse—, felinamente lo acariciaba Santa; con lo que Hipólito perdía los estribos y la besaba, la besaba en el cuello, por sobre la ropa apretábala tanto que le cortaba el respiro, como si ya tuviese derecho para hacerlo o como si la honda pasión contrariada rebasara la medida y por los poros se le escapase. Una ocasión, por poco no la posee.

Y durante una soledad de éstas, el ciego se le abalanzó delirante, desfigurado, amenazador:

—¡Yo!, ¡yo! —gritaba—, ¡alguna vez yo, que me muero por usted! ¡Yo, Santita, sea usted compasiva, que si más aguardo, no me tocará nada! Todos pasan sobre usted, Santita, como si fuera una piedra de la calle... ¿y yo, que la idolatro, oigo el tropel y con eso he de saciarme?... No, Santita, así suceda lo que suceda... ¡Hoy paso yo!...

—¡No, Hipo, por Dios! Es usted demasiado bueno y no merece que yo me le entregue como estoy ¡No, le digo a usted que no! —agregó corriendo semidesnuda y aterrorizada de la actitud del ciego.

—¡No, Hipo, no!... —repetía Santa, yendo de un extremo a otro, Hipólito, ganándole terreno minuto a minuto, sin hablar, tendidos sus brazos como antenas de araña fantástica, en reclamo del cuerpo fugitivo que no veía pero que con locura adoraba; cuya vecindad adivinaba en su oído admirable de ciego, cuya desnudez olfateaba con irrazonable frenesí de infeliz y hacia el cual tendía los brazos temblorosos en suprema y terrible demanda de alivio...

La lucha se tornó implacable, con encarnizamiento de enemigos. Ya no había ídolo ni idólatra, sino el eterno combate primitivo de la hembra que se rehusa y el macho que persigue: De vez en cuando, escuchábanse ahogados y roncos "¡no!", "¡no!" de Santa y los arrastramientos de Hipólito, en el piso de ladrillos... Un descuido de Santa, que resbaló en el suelo; luego dos gritos, el de pavor de ella y el de victoria de él. Santa, en muda ya, domeñada, en espera de la furiosa embestida, con la silenciosa conformidad de su sexo, para aquellas derrotas fisiológicamente fabricado, y entrando de rondón, Jenaro, que se petrifica de mirar el informe e impotente bulto, que vierte el aguardiente, el café; que, niño en definitiva, solloza y clamorea:

—¡Amo!... ¡don Hipólito!... ¡niña Santa!... ¿Qué es?...

Ahí terminaron las soledades, nunca más se mandó a Jenaro en busca de nada. Si los camareros de los hoteles no podían ejecutar el mandato, prefería Santa permanecer en ayunas, no beber su aguardiente, cuanto hay, con tal de no permanecer a la exclusiva merced del ciego.

Pues aquella criatura, a pesar de sus depravaciones, a pesar de ser la negación del pudor y de todos los pudores, conservaba uno en favor de Hipólito. Raro, ¿verdad...?, mas así era. No quería dársele tan manchada y sucia, saliendo de todos los brazos.

Ante la tardanza, ante el continuo rodar de la moza peñas abajo, Hipólito llegó a desesperar, y sacando fuerzas de flaqueza, cumplió con la oferta de separarse de ella:

—Santita —le dijo con resolución—, ¡adiós! Ni nunca me ha querido usted ni nunca me querrá, que si algo me quisiera, a buen seguro que no me tuviese en este purgatorio... ¡Ya no puedo más, se lo protesto a usted! Día a día vengo a sacarla a usted de estos hoteles de Satanás y usted se me queda, me promete que mañana se irá conmigo... Pues quédese usted, Santita, quédese y Dios que la ayude, yo ya no espero... ¡Jenaro!, despídete de Santita —ordenó el pianista, para proporcionar coyuntura a que Santa lo llamase.

—Sí, sí, váyase, que se me parte la cabeza, y hasta mañana o hasta la noche, en el café de la Escondida, ya saben...

—No —contestó Hipólito regresando a la vidriera—, ni hasta la noche ni hasta mañana... ¡Adiós, Santita!

Suprimido Hipólito, ella continuó rumbo al abismo, a escape, desgraciada, despreciada, desamparada y doliente. Recorrió la escala, peldaño por peldaño y abrojo por abrojo, hasta que dio con sus huesos y su cuerpo enfermo

en un fementido burdel de a cincuenta centavos; nido de
víboras, trono del hampa, albergue de delincuentes, fábrica de dolencias y alcázar de la patulea.

Era un cuarto, más que grande, deforme y disforme;
una de sus cuatro paredes encaladas, embistiendo en un
rincón a su vecina y sostén, con lo que ambas, en el ángulo
que determinaban, amenazaban desplomarse y aun habían
comenzado a hacerlo, por arriba, del lado de las vigas, según la tierra en polvo y los terrones cual puños que se venían abajo, al transitar de los carros cargadísimos y toscos
que durante ocho horas diurnas, en su laborioso ir y venir
de hormigas monstruosas, estremecían el arrabal.

Para arribar a tan ruin anclaje, anduvo Santa la Ceca y
la Meca, lo mediano y lo malo que las grandes ciudades
encierran en su seno como cutáneo salpullido que les produce un visible desasosiego y un continuo prurito, que
únicamente la policía sabe rascar, y que contamina a los
pobladores acomodados y los barrios de lujo. Es que se
sienten con su lepra, les urge rascarse y aliviársela, y a la
par despiértales pavor el que el azote, al removerlo, gane
los miembros sanos y desacredite la población entera.

Eso y más conoció Santa; conoció gentes y sucedidos
que muchos ignoran hasta su muerte, a pesar de que han
vivido siglos y años en la propia ciudad, leyendo sus diarios, concurriendo a los jurados, cultivando relaciones con
autoridades y gendarmes. Santa lo conoció todo por exigencia de su oficio que, en determinado nivel, es el natural
y discreto intermediario entre lo que ataca y lo que se defiende, entre el delito y la ley.

Su actual domicilio, ubicado en región de pésima fama,
más allá del Chapitel de Monserrate y de San Jerónimo, y
muy al sur y cayendo al oriente, disponía hasta de nueve
arpías sin contar a Santa. El cuarto de las paredes que se
desplomaban lo subdividían dos tabiques principales
que dejaban una especie de pasillo o corredor muy estre-

cho, y varios tabiques laterales que se agarraban como
podían, con alcayatas, cuñas y retazos de cuerdas ennegre-
cidas de pringue, de los dos principales y de las paredes
desconchadas. Por muebles, unos camastros agraviados, de
colores sombríos y huérfanos de lana en colchones y almohadas; alguna silla de tule, desfondada y coja, y en la
pared suspendida, a guisa de icono apropiado al culto salvaje que ahí se practicaba, una invariable bandeja de pel-
tre con abolladuras y costras que ningún ácido sería capaz
de extirpar, coronada con una toalla nauseabunda cuyas
dos extremidades oscilaban patibulariamente a los porta-
zos de las pupilas y de sus visitantes. Al fondo del pasillo
o corredor, sobre una mesa con menesteres domésticos,
una impiedad casi sacrílega: la imagen en fotografía de un
santo, clavada con tachuelas en sus esquinas, rodeada de
flores de papel, luciendo dos o tres exvotos de plata enmo-
hecida y resistiendo los parpadeos de una lamparilla de
aceite que dentro de una copa rota alumbraba noche y día.

Allí recaló Santa, después que la echaron de todas partes; llena de dolores y de pobreza; medio borracha; sus
ojos opacos; su espléndido cuerpo donde no anguloso, hin-
chado, convertida en ruina, en despojo y en harapo.

—¿Admite usted una más? —preguntó a una vieja con
chiquiadores de jabón, entrapajada en el rebozo, chupan-
do una colilla de cigarrillo y oliente a alhucema, que le
franqueó la pequeña puerta taladrada de agujeros y re-
miendos.

—¡Entra...! Si no te has desayunado, ahí hay hojas con
catalán; si ya te desayunaste, barre quedito, que tenemos a
uno todavía durmiendo...

Ni a la vieja se le ocurrió averiguar si la libreta de Santa
hallábase en orden, ni a Santa contarle que carecía de ella.
¿Con qué fin, si en esas regiones profundas, la sanidad y
sus "agentes" ya no se muestran celosos del cumplimiento de sus deberes?...

Al cerrar la puerta y de nuevo atrancarla, la vieja habló imperiosa y lacónicamente.

—¿Cómo te llamas? —preguntó a Santa.

—Santa —repuso ésta.

—Pues desde hoy te llamas Loreto, ¡qué Santa ni qué tales!...

Y hasta el nombre encantador se ahogó en la ciénaga.

Su único consuelo estribaba en salir y meterse en un afamado figón de la plazuela de Regina, denominado El Sesteo de las Fatigas, que se cerraba a media noche corrida y en el que se guarecía y embriagaba un conjunto multicolor y multiforme de gente de pelea sin oficio ni beneficio, por lo menos durante seis horas. ¿Fue aquí o con el asesino escapado de Belén, que con ella se desveló una noche completa, donde Santa aprendió la letra de una danza que sin cesar canturreaba después de aprendida? Ambos pudieron ser los maestros, pues en El Sesteo había mucho canto, con guitarra y todo, y el asesino —¡el mundo es así!— trató a Santa con finuras y ternezas femeniles de puro delicadas, le confesó por qué había matado, ¡y aun le habló de una mujer que quería y de un hijo, chiquito, cuyo paradero ignoraba!...

Uno de los cuartetos contenía ofrecimientos tan misericordiosos:

...dicen que los muertos reposan en calma,
que no hay sufrimientos en la otra mansión...

que Santa los repetía sin descanso, obsesionada ya por la muerte, creyendo a pie juntillas en la garantía de los versos sepulcrales. Sin aquel entusiasmo ni aquella devoción con que decía lo primero, cantaba el resto, por no truncar la estrofa:

...que si el cuerpo muere, jamás muere el alma,
y ella es la que te ama con ciega pasión...

Al llegar a estas palabras últimas, por asociación natural de ideas, como por ensalmo aparecíasele Hipólito, el

ciego, mirándola sin verla con sus horribles ojos blanquizcos de estatua de bronce sin pátina.

En las dudas, fue la enfermedad la que sí alcanzó su
grado máximo. Instantes había en que ni caminar conseguía, sino que a rastras ganaba el camastro, asíase crispa-
da a sus ropas nada limpias, y con lágrimas de verdad,
imploraba clemencia de sus alquiladores:

—¡No me toques, que me estoy muriendo...! ¡Y no me
acuses con la vieja, porque me correría y no tengo a dónde
irme!...

Unos la forzaban, como infernales chivos en brama, sin
curarse de sus dolores que suponían fingidos; algunos con-
tados, le pagaban y aun le aconsejaban apelar a tal o cual
remedio; los más, desde el cuarto, pedían una suplente:

—¡Oye tú, Fulana, manda otra muchachona, que ésta
no sirve!...

Medio mes contemporizaría la vieja, y al cabo de él, con
idéntico tono e imperio idéntico a los empleados para la
admisión, la despachó:

—Mira cómo te las compones, porque mañana te me
largas... Te perdono los catorce reales que me debes del
rebozo...

Hay situaciones que ya no empeoran con nada; por lo
que Santa redújose a responder con un triple sí a la peren-
toria admonición:

—Sí... sí... sí, me iré mañana... ¡Ya lo creo! —añadió, sin
saber por qué lo añadía.

Revolcándose en su cama miraba a su alrededor y hacia
atrás, en forzada conformidad contra lo irremediable; ya
ella marchaba, ya, el tren o el buque o la diligencia o lo que
fuera, echaba a andar y se la llevaba, vaya si se la llevaba...

Al oscurecer, una mejoría ligera, mas suficiente para que
reaccionara. Llamaría a Hipólito e Hipólito vendría, en el
momento, amante y noble, sacaríala de ahí y la ayudaría a
bien morir, la enterraría, y, sobre todo, la perdonaría. Au-

mentó su deuda a dos pesos, solicitando una peseta con qué pagar a un mandadero:

—El señor que va a venir por mí, le pagará a usted –aseveró con aplomo, y ante la incredulidad de la vieja, agregó—: Si nadie viniera, ¿qué le importa a usted una peseta más...?

El recado a Hipólito, sincero y feroz, verbal y con laconismos de telegrama que anuncia una defunción:

—Le dirás a un ciego que toca el piano en tal casa de tal calle, que Santa, ¡fíjate!, que Santa está muriéndose y quiere verlo, nada más, y que se venga contigo, ¡corre!

Si la vieja, las mozas y los clientes hubiesen sido asustadizos o de diversa pasta amasados, habríanse hecho cruces frente al portento que veían: un ciego feísimo y pésimamente trajeado, llegando en coche al burdel, en cuyos interiores se precipitó auxiliado de un lazarillo descalzo y roto.

—¡Santa!... ¡Santita!... ¿Dónde está usted?...

Y después de contestar Santa, el ciego se metió en el cuarto y apenas si se escuchó como un sollozar de personas que no desean ser sentidas.

—¡Hipo! —decía Santa muy por lo bajo al pianista, que la palpaba y olía y besaba devotamente—, me echan de aquí, ¡de aquí!... Nadie me quiere ya... apesto, estoy podrida, ¡me muero!...

—Yo te quiero, yo... yo... Y te llevo conmigo... y no te morirás... ¡porque no es posible que te mueras!

Se la llevó, en efecto, pagando lo que adeudaba.

Salieron los demás, hasta la mitad de la calle, no creyendo que aquello fuese realidad.

El ciego entró a Santa en el carruaje, siguiéndola después; y como Jenaro subió al pescante ni más ni menos que un lacayo, las sombras de la noche y del arrabal completaron el hechizo.

Triunfalmente, arrancó el carruaje.

Capítulo V

Sonaban las diez de la noche cuando el simón se detenía en la casa de Hipólito; por lo que el ferrado y arcaico zaguán estaba cerrado ya, circunstancia que no desagradó al pianista, pues le ahorraba la curiosidad de los vecinos que, seguramente, excitaríanse muchísimo si lo viesen entrar en su domicilio acompañado de una mujer.

En cambio, el teatro Arbeu, frente por frente del inmueble, ostentaba encendidas todas sus baterías de luces, abiertas sus puertas, y por éstas saliendo a la calle los concurrentes, a disfrutar el entreacto. Las luces se estiraban hasta la pared frontera, arrancando de los balcones destellos que simulaban interior iluminación en los edificios alumbrados. Oíanse murmullos y risas, mirábanse flamas de fósforos que duraban un instante y cigarros encendidos cuyos fuegos revoloteaban en limitado radio, siguiendo los ademanes que les imprimían los fumadores agrupados. Al borde de la acera opuesta al teatro, veíanse, en fila, mesitas atestadas de panes con sardinas, de bizcochos y dulces, todas con idéntico alumbrado: una vela de sebo, con pantalla de papel para que el viento no las apagara, y todas con los propietarios tras ellas, evitando que los granujas revendedores de billetes y contraseñas —emperadores del arroyo— no les birlasen algún comestible. A entrambos lados de las puertas del teatro, hileras de carruajes estacionados, desiertos varios pescantes porque sus cocheros conversaban en corrillo, apagados diversos faroles por economía, dormitando algunos caballos, con el pescuezo muy tendido y la cabeza muy gacha, descansando en la lanza y en los cejaderos, o aproximándose al empedrado más y más a cada respiración, como si con ésta marcaran el nivel de sueño.

De un salto de simio, Jenaro se bajó del pescante, abrió la portezuela y pidió órdenes:

—¿He de ir a buscar cena?...

Primero, liquidóse el coche, con respectiva propina; luego, abrió Hipólito el zaguán con una llavaza que de su pantalón extrajo, y, Jenaro adelante, para no desamparar a su amo, que tampoco desamparaba a Santa, Jenaro resultó guiando a los dos por el patio enlosado. La enorme casa, a oscuras y en silencio, salvo, abajo, una que otra claridad que asomaba medrosa y pálida por las hendiduras de las puertas cerradas de los cuartos, y, arriba, una que otra vidriera de ventana o puerta —con cortinas de gancho—, tras las que se adivinaban.

La vivienda de Hipólito estaba en los altos, y a ella subieron quietamente, Jenaro exceptuado, que, conocedor del terreno, anunciaba peligros:

—¡Cuidado! Ese es el caño... No se coja usted del pasamano, niña Santa, porque le falta un pedazo... Ahora, de uno en uno, porque el corredor tiene un boquete más ancho que yo... ¡Ya llegamos!

Santa, que tanto tiempo llevaba de no contemplar sino las peores lobregueces, no pudo menos de elogiar la casa. Apoyada en el barandal del corredor, mientras Hipólito bregaba emocionado por meter una segunda llave en la cerradura de su habitación, murmuró:

—¡Qué bonita es esta casa, Hipo, qué grande!

Reducíase la morada del pianista a una azotehuela destechada que hacía veces de recibidor a la intemperie; enseguida, tres piezas: una de medianas dimensiones, de cielo raso agujereado y manchado por las goteras, con papel de tapiz sucio y desgarrado; otra, muy oscura, en la que dormían Jenaro y el *Tiburón* —un palomo llegado de donde nunca se supo, por los aires, y domesticado al extremo de entender por su nombre, escoltar a los inquilinos lo mismo que un perro, comer posado en el hombro del músico o en la boca de Jenaro, alegrando a los moradores con su curruquear, y viniendo a ser la nota única presentable de la desmantelada casucha, con el arrastrar de su cola abanicada por los pisos y su volar confianzudo por las estancias. Al final, la cocina, con un brasero de poyo que se desmoronaba por desuso, una alacena poblada de ratones y arañas, y tierra y polvo y humedades.

Optaron por prender la vela de preferencia a la lámpara, y al comprender Hipólito que ya se veía dentro de su casa, quitóse el sombrero, cogió ambas manos de Santa, y, besándolas, solemne, exclamó:

—¡Mira qué poco puedo ofrecerte, Santa, pero todo tuyo, todo, hasta nosotros, que somos tus criados! Aquí se hará lo que tú mandes, aquí te aliviarás y nadie en el mundo, digo, mientras tú quieras, nadie vendrá a importunarte, ¿estás contenta?...

Echóse Santa en brazos de Hipólito, cegada por la llama de aquel amor que, lejos de extinguirse, trazas llevaba de perdurar hasta la muerte de quien lo nutría o de quien lo inspiraba; quizá hasta después, más allá de la muerte y del olvido.

—¿De verdad tanto me quieres, Hipo? —preguntó Santa, dudosa de que no obstante su primitivo desvío hacia Hipólito y de que ahora, que despreciada físicamente, enferma y sin encantos, la repudiaban todos, hubiese alguien que en quererla persistiese con esa idolatría infinita de mar sin orillas—. ¿No será —continuó quedo— que, por no poder verme, te has figurado que soy distinta de como soy?... ¿No sabes —continuó casi en un soplo— que mi belleza se me ha ido? ¿No te lo dije ya? ¿No te dije que ya

nadie me busca, que doy asco, que no sirvo ni para satisfa-
cer a los más ordinarios, los "pelados" de las calles y los
vagabundos de los caminos?... ¿No te doy asco a ti? ¿No es
una limosna la que me brindas por lo que me reste de vida,
que bien corto ha de ser?...

—Yo mismo no sé cuánto te quiero, ¡hay cosas que no
se saben!... pero, calcúlate que me hacían pedacitos, muchos, muchos, ¿me comprendes?... Cada pedazo del tamaño del ojo de una aguja, y que muchos hombres, muchos,
fueran tirándolos por el mundo entero, a puñados, acá un
puñado, otro en China, que dicen que está lejísimos, y así
todos, a leguas y leguas unos de otros, separados por mon-
tes, por ríos, por todo lo creado... Pues si tú, en medio de
un desierto, mil veces más enferma y más pobre y más
despreciada y más fea, ¡vaya, que asustaras a las fieras!, si
tú un día me llamabas como me has llamado hoy, si como
hoy me juras que me quieres, lo mismo que, vivo, volé a tu
lado y a tu lado me tienes y a tu lado me tendrás hasta que
nos muramos, lo mismo mis pedazos se juntarían solos,
por milagro muy grande, y juntos, quiero decir, yo rehe-
cho, habría ido hasta ti, a bendecirte y adorarte como en
este momento te adoro y te bendigo...

—¡Sí, Hipo, sí te quiero, te juro que sí te quiero! —le dijo
Santa, al fin cautivada y de veras queriéndolo. ¡Créemelo,
dime que lo crees!

—Tú no sabes —siguió Hipólito rechazándola, sin contestarle si creía o no creía en su juramento, completamente
alucinado—, tú no sabes lo que es vivir sin amor toda una
vida... Apuesto a que en el fondo eres buena, ¿verdad que
sí? Me lo revela el que hayas acabado por quererme y por
venirte conmigo que, fuera de mi madre y de ti, no me ha
querido nadie... ¿Qué es tu fealdad si a la mía comparas?
¿Qué es tu miseria y qué el mal que te aqueja...? Yo te aseguro que también soy bueno, sí, no seré un santo pero bueno sí soy... la prueba, que nunca he maldecido de Dios y

que con más conformidad que desesperación he venido caminando a tientas por esta noche interminable en que me hallo sumido...

Una onda formidable de piedad la acercó a Hipólito, la prosternó a sus plantas, abrazada a sus rodillas. En el mismo instante, acatando la costumbre, el palomo vino, volando desde las piezas oscuras, a posarse en el hombro de su amo.

Presentóse Jenaro con la cena y su vivacidad de avispa. Sin previa venia encendió la lámpara, abrió la ventana para que se les metieran un poco las estrellas, aderezó la mesa y batiendo palmas, hizo que Santa e Hipólito se acomodaran. Les sirvió con diligencia de consumado camarero profesional.

—¡Champaña de a diez locos! ¡De la casa de doña Elvira, en que hemos trabajado todos!...

Se manifestaba tan contento del hallazgo y secuestro de Santa, como el pianista su amo, quien cenó distraído, vuelta su cara a la muchacha, cual si pudiera mirarla. Y era lo que sorprendía a Santa, ¿por qué si ella volvíase a contemplarlo, él ejecutaba maniobra análoga? No concluyó aquí lo extraordinario: después de la cena, como si le leyese los pensamientos, Hipólito pidió la botella del catalán y con grande discreción dijo a Santa, que se moría por catar aguardiente:

—Bebe una copita de esto, que yo lo acostumbro encima de mis comidas y no estaría bien que me consintieras beber solo —y con raro tino, sin verter gota, le sirvió en un vaso grande el tanto de dos o tres copas pequeñas.

Por no mortificarla con su presencia, se levantó y llamó a Jenaro a la azotehuela, donde con él sostuvo animado parlamento del que Santa pescó un trozo que otro.

—Muy temprano, Jenaro... muy temprano, a las siete siquiera...

Santa se apresuró a despachar su ración de catalán, porque sus dolores se anunciaban y necesitaba reposo.

—¿Con quién habla Jenaro? —le preguntó a Hipólito.

—Con el *Tiburón* y con sus ratones y sus arañas de la alacena —le explicó el músico, habituado a las prácticas de su lazarillo—, está poniéndoles de cenar.

De ahí a poco, nadie habló; sin duda Jenaro dormía y sus animales también. Santa hacía poderíos por vencer sus dolores, que volvían a atenacearla y retorcerla bajo las sábanas. Pero que pudiera entregarse a Hipólito, tornarlo dichoso alguna vez; que pudiera ofrendarle su cuerpo, inútil ya y nada codiciable, a quien por él se perecía, a quien merecíalo más, ¡oh, mucho más!, que los mil y mil que se lo habían estropeado con sus caricias torpes y sus despóticas lujurias asquerosas... Y conforme Hipólito, desnudándose muy despacio y con la exagerada parsimonia del que intenta prolongar halagüeñas ideas y situaciones de cuya realidad se duda, preparábase a palpar el ideal de su vida.

No supieron sus ojos ciegos que la vela, consumida, boqueaba en la palmatoria, pero sí su instinto le gritó que triunfaba, que diera un paso más, el definitivo que de la dicha nos separa, y se proclamase señor y dueño de Santa. Aún se retuvo, tímido cual recién casado, y metióse en la cama... mas al experimentar el calor tibio y el contacto múltiple, estalló el volcán que alimentaba por dentro, y con estridentes fragmentos de risas roncas, con entrecortado y tierno murmurio, apenas oíble, de palabras truncas, que a borbotones le salían, cayó sobre Santa, que, a pesar de la adoptada resolución de sacrificarse, de morir a ser preciso con tal de que Hipólito gozara, fue tan espantoso su dolor, que se encabritó como se encabritan las vírgenes en los sagrados y secretos combates nupciales, y en llanto y sudor bañada, repelió la embestida:

—No puedo, Hipo, no puedo... ¡Mejor mátame!...

Por natural efecto del mismo amor inconmensurable en que el ciego se consumía, sucedió entonces el mayor de los portentos: Hipólito, por heroico esfuerzo de la voluntad,

domeñó el desbocado potro de su deseo, y besando a Santa en la frente, sereno y tranquilo en un segundo, él, fue él
quien presentó excusas que resultaban grandes de puro
desgarradoras.

—Tienes razón, mi Santa, estás enferma y yo lo olvidé,
perdóname y duerme, ¡pobrecita!, me basta con tenerte
aquí... sí, acostada en mi brazo... así, Santa, así... ¡descan-
sa, duerme!

Indudablemente fue aquella noche la más casta que
nunca tuvo Santa, purificada por el dolor, que no le daba
punto de sosiego, y saturada por el amor de Hipólito, que
ni se movía, para ver de proporcionarle la quietud que a
una demandaban el cuerpo enfermo y el espíritu no muy
sano de la muchacha.

Ni uno ni otro dormían y los dos lo simulaban con su
inmovilidad y sus ojos cerrados. De tiempo en tiempo, a
ella estremecían el dolor, y al él el deseo; y resistían calla-
damente y en el mutismo.

Así sentíanse bien, juntos, cubiertos por la misma sába-
na humilde y rota como ellos, participándose su calor
mutuo; seguros el uno del otro; unidos en lazo indisoluble
por su desventura común y su común miseria. ¡Por el amor
volvían a Dios! Y sus pensamientos continuaban subiendo, blancos como armiños, arrodillados como comulgantes,
bendiciendo como desgraciados, seguros de que los per-
donarían porque ya ellos habían perdonado. Y el dolor de
Santa se amortiguaba, trasmutábase en llevadero; y el deseo de Hipólito disminuía, trasmutábase en deleite quimérico y dulcísimo... Muy poco a poco fueron moviéndose,
hasta que sus cuerpos se tocaron sin malas intenciones ni
torcidos apetitos, en inmensa promesa pura de pertenecerse
cuando pudieran. Y se oyó entonces que el *Tiburón* aletea-
ba, pero ellos creyeron, no que fuese una paloma, sino el
cariñoso Ángel de la Guarda de su infancia, que satisfecho
de verlos, plegaba las inmaculadas alas, y a falta de madre, de salud, de riqueza y de dicha, ¡dolido de ellos!, les

velaba el solo sueño que debe velar, el sueño casto, en que
al fin cayeron la pobre prostituta y el pobre ciego...

Gracias a este sueño, inteligentemente llevó a cabo Jenaro el mandado de la víspera.

En menos de una hora, precediendo a un cargador que
conducía un gran canasto tapado, que mucho intrigó a las
comadres y desarrapados pipiolos del patio, regresó Jenaro.
En la azotehuela de la vivienda licenció al cargador, luego
de volcado en el enjuto lavadero el contenido del gran canasto, contenido que resultó ser un cargamento de flores
fresquísimas, con todos los perfumes y con todos los colores. Un capricho de Hipólito, que como nunca veía nada,
no encontró obsequio más a propósito para Santa que cu-
brirle de flores su mezquina casita, el dormitorio principalmente.

¡Los ahogos que pasó Jenaro porque no se despertaran!
El caso es que la habitación quedó quizá mejor que si un
floricultor de oficio la hubiera engalanado; recreaba la vista y halagaba el olfato; tenía algo de jardín y algo de iglesia, bastante de fiesta y bastante de campo. Cerca de las
nueve dio la mano última a su labor, suelta al *Tiburón* al
sol a la estancia, abriendo la ventana de par en par. El café,
servido en la mesa enflorada, entibiábase dentro de las
tazas.

Santa despertó la primera, y en la grata somnolencia
que sigue al sueño, probablemente se imaginó que aún se
hallaba dormida; porque aspiró el aire a plenos pulmones,
con hondo suspiro de satisfacción, medio vio las flores y volvió a cerrar los ojos sonriendo al espectáculo inesperado.

Jenaro les lanzó al *Tiburón*, que fue a parar a las mismas
almohadas e hizo la "rueda"; y golpeando en la puerta del
cuarto les anunció a gritos el desayuno.

—¡Ya traje el café con leche!

También Hipólito abrió sus párpados, y calculando que
la batahola la producía el buen éxito de las flores, para no
malograrlo, para que sus horribles ojos blanquizcos no echa-

sen a perder las cosas, los cerró de nuevo; y aunque notó que se enderezaba Santa, jamás sospechó para qué, ¡cómo sospechar delicias de esa índole!... Santa se enderezó, y sin el menor asomo de repugnancia o de asco, aprisionó a Hipólito entre sus brazos desnudos, conmovida y llorosa, le besó sus ojos ciegos —los sentenciados a no verla nunca—, y ellos se abrieron desconsolados, exageradamente, pugnando por ver ¡un segundo siquiera, Señor...! Las lágrimas de Santa, sobre ellos suspendida, los penetraron gota a gota y en el acto se reabsorbieron en aquella superficie seca, como se reabsorbe la lluvia en los terrenos sedientos, áridos e infecundos que no han probado el agua.

Inauguróse una existencia de ensueño, no vivían, no, ni el uno ni el otro, ¡resucitaban! En medio de los dolores tremendos que no desamparaban a Santa, hiciéronse calle todos sus instintos femeninos, Hipólito no necesitaba ver para reputarse feliz, y Jenaro brincaba y saltaba lo mismo que un cordero. Volóseles el día dibujando planes y esbozando proyectos: Santa guisaría, cosería y barrería, pues se pintaba sola para tales faenas; Jenaro haría mandados y otras diligencias callejeras, e Hipólito trabajaría por las noches en la casa de Elvira, según uso y costumbre.

¿Por qué a cada proyecto y a cada plan, el implacable mal sin remedio que a Santa afligía, le clavaba las garras, desbarataba los castillos de naipes y entristecía a Hipólito?... Cuando los dolores se acrecentaron y Santa hubo de acostarse, el músico declaró sombrío:

—¡Lo primero es que te cures! ¡Mañana te verá un médico, y si ése no sirve, otro y otro, hasta que alguno te alivie!

Con uno bastó; uno que se presentó de parte del facultativo particular del establecimiento de Elvira y al que Hipólito había acudido, en su tribulación.

La enfermedad de Santa era tan característica, tan avanzada se hallaba, que el galeno tuvo de sobra con un solo examen para diagnosticarla por su nombre terrorífico y para pronosticar un desenlace próximo y funesto. Termi-

nado el examen, llamó a Hipólito a la azotehuela, todavía
con pétalos, tallos y hojas de las flores de la víspera, y sin
medias tintas ni prolegómenos disparó la nueva:

—¡Lo que padece la señora es un cáncer tremendo y sin
cura!... ¡Es mal incurable! ¡Quizá alargaríasele algo su vida,
aunque tampoco es seguro, procediéndose a la operación,
pero la operación no carece de riesgos y es costosísima!...
costaría unos cien pesillos, sin incluir lo que cobren por
la convalecencia en una de las salas; yo llevaré a un compañero y a un practicante, para el cloroformo.

—¿Cuándo quiere usted operar? —preguntó resolvién-
dose y sin discutir precios—, yo pago por adelantado.

—Pasado mañana, en la mañana —contestó el doctor,
después de consultar su cartera—. Mañana arreglaré su
ingreso y dormirá ya en el hospital.

—¿Puedo asistir a la operación?...

—¡Hum!... si usted se empeña y promete no moverse ni
chistar...

—¿Cómo se llama la operación? —preguntó Hipólito
por último, desencajado.

—¡Histerectomía!

Y el enrevesado nombre acabó de anonadarlo, encon-
traba enrevesada la estructura y siniestro el sonido, le sonaba a terrible, a peligroso, a inhumano.

No se enteró en sus cabales de cuando el médico se despedía, le estrechó la mano y se quedó hipnotizado por la
muerte, a la que veía cortejando a Santa, durmiendo con
ella, a cada instante apretando el cerco, y relegándolo a él
a postrimer término, a él, que había tenido la paciencia de
aguardar a que nadie codiciase a Santa, a que todos, ¡todos primero!, se hubiesen hartado de ella, y él, a lo último,
surgir, arrebatarla, esconderla y adorarla enterita, desde
sus pies ensangrentados por los abrojos de su extraviado
vivir, hasta sus cabellos, rociados y coronados de besos y
de alhajas, de rosas y de espumas, de desprecios y de infamias. Y he aquí que cuando, después del perseverar y del

sufrir, creía alcanzar a su ídolo, ahora escarnecido y pisotea-
do, ahora, que ya sus semejantes y sus hermanos, ¡maldita
fraternidad despiadada!, luego de enfermarlo, envilecerlo
y prostituirlo se lo tiraban a la mitad de la calle por inservi-
ble, agotado, exhausto y sin picor; ahora que él se agazapa-
ba a levantarlo, así que la jauría humana, ahíta y babeante,
había vuelto grupas y ululando se precipitaba sobre la carne sana de las rameras de refresco que, igual a manadas
de reses, vienen de todas partes a abastecer los prostíbulos,
los mataderos insaciables de los grandes centros, ahora ¡ay!,
un cáncer le trocaba en inviolable lo que fue depósito, arsenal y fábrica de todas las violaciones, lo que de tanto ser
violado ya no provocaba deseos ni en los individuos más
disolutos. Contra la muerte no cabía lucha, él luchó contra
todo lo que se había opuesto a la posesión, había luchado
pacientemente. Nada lo arredró, mientras lo que se le opuso
tuvo sus lados vulnerables y flacos.

Pero la muerte es la invencible, la superior a todo lo
malo y a todo lo bueno; la muerte pulveriza a los individuos más fuertes y los proyectos más cuidados; y era la
muerte la que se aparecía en el preciso momento en que Hipólito principiaba la idolátrica cura de Santa. Sus energías
para luchar y esperar evaporábanse, doblaba las manos...

Y en un rapto de desesperación, para de un golpe casti-
gar su impotencia y su desgracia, llevóse sus crispados
dedos a sus ojos blanquizcos y sin iris, resuelto a extirpar-
los, con demencia irrazonada; ya que nunca le sirvieron ni
nunca habían de ver a Santa, que se pudrieran ellos primero en algún muladar, y él luego, en cuanto también se
sacara con sus uñas el amante corazón, que, muriendo Santa, tampoco para nada le servía...

—Hipo, ¿qué haces? —le dijo Santa, aquietándole las
manos convulsas, al salir de la azotehuela y averiguar por
qué el ciego tardaba.

—¿Yo...? Pues sacarme una paja que me entró en los
ojos. ¿La ves tú...?

Fue la prueba decisiva. Jamás vio Santa tan de cerca aquellos ojos horribles capaces de impresionar hasta a un naturalista.

Sin tener que vencerse, con la tierna despreocupación altísima de mujer que ama, para la que no existen deformidades, ¡con qué cariño y cuánta gratitud los besó diversas veces, en su alrededor, en los párpados entornados, en las cejas bravías y en las pestañas truncas! ¡Cómo los hizo que en llanto se empaparan! ¡Qué noblemente cayó encima del hombro de Santa la fea cabeza y el desgraciado rostro del ciego!...

—Estoy de muerte, ¿verdad? ¿Te lo ha dicho el médico y ni tú te resignas ni hallas manera de decírmelo?... ¡Dímelo, Hipo, dímelo, que yo ya me lo sé!... Me siento mala, como si me desarmaran a tirones para guardar mis huesos... Lo que no me gusta es que tú te pongas así, pues qué, ¿no sabes que todos hemos de morirnos?...

Temblorosamente, Hipólito la apretaba, ora la cintura, ora el anca ya flaca, sin morbideces y dureza de hacía sólo un año, cual si pretendiese cubrirla íntegra, multiplicar las defensas de sus manos y los escudos de sus brazos. Enlazados encamináronse al dormitorio, en el que permanecieron bastante tiempo sin hablar y sin soltarse, gustando a solas del placer de reconocerse el uno del otro, juntos, quietos, en amorosa resignación muda frente al destino injusto que amenazaba para toda la eternidad separarlos. No cenaron, cuando Jenaro se ofreció a ir por cena, aprovecharon ellos la interrupción para dar suelta al mundo de confidencias, encargos y súplicas que preceden a las grandes despedidas.

—Avisa a Elvira que no iré a tocar, y tú, toma, cena donde te acomode y regresa tarde... Coge las llaves.

Luego que solos quedaron, Hipólito encendió un cigarrillo, Santa rehusó una copa de aguardiente, y ambos, empleando inauditas finuras, consagráronse a la ingrata tarea de escarbar en sus existencias mutuas.

¡Válgame Dios, y cuántas penas ocultas no salieron a las tinieblas de la ruin sala; cuántos sitios lacerados no se descubrían los narradores; cuántos sufrimientos comunes; cuántas amarguras y cuántas cicatrices!

—Como tú no te has de morir de eso del cáncer, por eso es la operación, para que sanes; cuando te alivies, después de tu convalecencia, haremos...

Un millón de proyectos, descartando a la muerte, que con necedades de mosca volvía y volvía a zumbar por sus oídos, a enmudecerlos con su aleteo invisible.

Por su lado, Hipólito confesó a Santa un grandísimo secreto: no estaba tan tirado a la calle, era poseedor de más de cuatrocientos pesos economizados.

Muy nerviosa Santa, y mirando aparentemente al dinero, aunque en realidad mirase fúnebres lontananzas, le soltó de improviso:

—Si me muero... ¡No, no me interrumpas, Hipo, que tampoco yo lo deseo!... pero si me muriera, júrame que tú me enterrarás en el cementerio de mi pueblo, en Chimalistac, lo más vecina que se pueda de mi madre... ¿Me lo juras?...

Y el ciego juró, con voz clara y entonación firme, mas protestando sin embargo con la actitud.

Acostóse Santa, que no podía con los dolores, Hipólito afirmó que se acostaría luego.

Al llegar Jenaro, que les llevaba unas tortas compuestas porque no se quedasen en ayunas, pasó tal sofocón de divisar el grupo, que ganáronle tentaciones de arrodillarse lo propio que Hipólito... sin ruido se escabulló a su cuarto y por la primera vez en su vida lo visitó el insomnio, no pegó los ojos, y en cambio sudó mucho.

¡Vaya un aspecto riente el del hospital!

—¡Hipo, Hipo! ¡Esto no parece hospital!... Es tan bonito que hasta creo que voy a sanar.

Previo cumplimiento de ciertas formalidades, ajuste y pago correspondientes, quedó Santa instalada en la cama

número once de una de las salas cercanas a la de operaciones. Una crujía limpísima, con un total de veinte camas simé-
tricas colocadas a una y otra parte, separada cada cual por
un mueble barnizado que sirve de mesa de noche y encie-
rra los prosaicos menesteres en que el cuerpo se desahoga.

Santa ha ido describiendo a Hipólito —que no la suelta— desde el ingreso hasta su cama. Allí se despiden, él
regresará a la tarde.

La visita de la tarde más que reanimarlos los atormen-
tó. No se atrevieron a decirse nada en aquella sala de pa-
decimientos y de testigos, ni siquiera mencionaron su amor,
convertido por contrario signo injusto en irrisión y sarcasmo; no traicionaron el fingido parentesco inventado con el
plan de que a Hipólito se le permitiera esa visita y su asis-
tencia a la operación. Se han declarado hermanos y como
hermanos se conducen, tierna y castamente. Lo propio que
la víspera, se cogen las manos, diríase que no se cansan de
este contacto, inofensivo y amante a la vez.

Un triunfo costó a Hipólito ir por la noche a tocar en
casa de Elvira. En cierto modo, no le resultaba pesado matar
así la espera. A las cinco de la mañana, con el alba, con
Jenaro y con quince duros de más salía a la calle, todavía
retardó su andar, cual si con ello pudiese retardar también
el fatal advenimiento del instante espantoso.

—¡Hipo, gracias a Dios! —fue el saludo con que lo recibió Santa, en postura ya para aspirar el cloroformo, rodeada de médicos, practicantes y enfermeros enmandilados y
hasta los codos remangadas las camisas—, ¡creí que llega-
bas tarde!

Los brazos de Santa acogieron al músico y condujéronlo
hasta la boca de la enferma, con gran asombro de los cir-
cunstantes que no quisieron estorbar a los "hermanos" su
efusivo transporte. El médico dijo a Hipólito:

—Juicio, amigo mío, si no, no presenciará usted la operación. Recuerde su compromiso...

—Adiós, Hipo... ¡me voy!

—Duerme, mi Santa, duerme sin miedo, y ya verás cómo sanas..., hasta luego, hasta que despiertes... aquí estoy, junto a ti.

La cloroformización duró largo rato, gracias al alcoholismo de Santa, que se puso a charlar incoherentemente verdades y ficciones entresacadas de lo mucho que había vivido en tan poco tiempo y de lo mucho que ambicionó sin alcanzarlo nunca; horrores de hetaira y purezas de doncella, una fragmentaria mezcla que sólo a Hipólito emocionaba.

—¡Ya está! —anunció el operador, sin retirar la mascarilla ni suspender el gotear del cloroformo, que difundía su olor dulzón, en reducido radio.

A una seña del cirujano, los enfermeros cargaron con Santa dormida, hacia adelante las piernas flexionadas y oscilantes como trapos; a los flancos, cirujanos y practicantes; a lo último, la cabeza y el individuo del cloroformo.

Se recorrió, asimismo, un trecho de corredor, abrieron una puerta, e Hipólito notó que el corazón le daba un vuelco brusco y que el entero cuerpecillo de Jenaro se sacudía. Estaban en la sala de operaciones, porque así que hubieron colocado a Santa —en alguna mesa sería—, el médico previno cerraran, empujó a Hipólito hasta una silla distante, y en su entonación ordinaria avisó a Hipólito que iban a comenzar, que no se moviesen ni tentasen nada, porque todo se hallaba desinfectado.

Percibían confusamente el departir de los doctores; los breves diálogos del director y de los ayudantes.

Un reloj de pared recobró entonces su imperio, el sonoro y pausado tictac de su gran péndulo se señoreó de la estancia y a la vez se instaló en toda ella, firme, incansable, casi humano:

—¡Tic! ¡Tac!... ¡Tic! ¡Tac!... ¡Tic! ¡Tac!...

Con él alternaban los estridentes ruidos de las pinzas cuando sus dientecillos de acero se hincaban en la carne acuchillada y los de las tijeras cuando cortaban despiadadamente en lo vivo. Los gritos del operador, dominándolo, lo apagaban, gritos que en jerga médica se denominan "dosis de alarma" y que se profieren para reclamar de los ayudantes lo que en el acto se ha menester:

—"¡Irrigador!"... "¡Pinzas corvas!"... "¡Algodón!"... "¡Liga aquí!"... "¡Otro cuchillo!"... "¡Esponja!"...

Volvía el silencio —pues silencioso era el jadear del operador—, y volvía el reloj a señorearse, firme, incansable, casi humano:

—¡Tic! ¡Tac!... ¡Tic! ¡Tac!... ¡Tic! ¡Tac!...

Persistía Santa en un ronquido pianísimo, salpicado de tiempo en tiempo de quejidos en toda forma.

Hipólito, que no podía ver, llegó a alucinarse con el sonido del reloj.

—¡Tic! ¡Tac!... ¡Tic! ¡Tac!... ¡Tic! ¡Tac!...

De súbito, el siniestro: un síncope blanco de la enferma, la suspensión brusca de la respiración, cuando la operación, magistralmente ejecutada, tocaba a su término.

—¡Maestro! —prorrumpió el que aplicaba el cloroformo—, ¡la enferma no respira!

El tropel de las catástrofes: carreras, aglomeraciones, mutismos. Antes que nada, intentóse el procedimiento científico, la respiración artificial tirando de la lengua; el procedimiento antiguo de presión en las costillas, cuanto prescriben tratados y tratadistas. Después se abrieron puertas y ventanas sin miramientos, y el aire entró a enterarse de la defunción; hasta los árboles del jardín interior, que desde las ventanas columbrábanse, como que rezaban un sudario, con el susurro de sus hojas. ¡Todo en balde!

—Puede usted verla, si quiere, su hermana, desgraciadamente, ¡ha muerto!

Hay determinados estados de alma imposibles de describir y en el que quedó Hipólito fue uno de éstos. Por momentos, confinaba con la locura; calmábalo, otros, gemir y llorar; otros, parecía atacado de imbecilidad. Los momentos lúcidos supo aprovecharlos a maravilla, poniendo a contribución sus amistades e influjos, que los tenía, pues no impunemente llevaba años y años de tratar a personas y personajes con la igualitaria intimidad de los burdeles en que él tocaba el piano y aquéllos frecuentaban. Poseía conocidos encumbrados, con autoridad y todo, en la sanidad, en el gobierno del distrito, en varios ministerios y oficinas. A ellos acudió para obtener lo que perseguía: permiso de velar el cadáver de Santa en la vivienda de él, permiso de sepultarlo según su voluntad última, en el cementerio de su pueblo, cerca de su madre.

Por lo demás, a nadie comunicó, fuera de los indispensables, el luctuoso suceso; y a Elvira y sus pupilas, únicas, si acaso, que habrían concurrido al humilde sepelio, menos que a nadie. El sufrimiento, el amor y la muerte habíanle purificado a Santa —conforme al criterio del ciego.

Y allá, en el risueño cementerio de Chimalistac, del pueblecito en que se meció la cuna blanca de Santa, allí la enterraron Hipólito y Jenaro, en el simpático cementerio derruido, siempre abierto y siempre apacible.

A este cementerio enderezaron sus pasos, tarde con tarde, el ciego y su lazarillo, y en él permanecían hasta que los grillos no comenzaban sus cantos y las luciérnagas se encendían. Jenaro se aproximaba a Hipólito, de bruces sobre el sepulcro, y como si lo despertara de pesado sueño, le repetía, moviéndolo:

—¡Amo! ¡Amo!... Ya es de noche.

La devota visita reproducíase a la tarde siguiente, con idénticas actitudes, idéntica duración e idéntico, al parecer, pesado sueño.

Mandó poner Hipólito en el sepulcro una lápida, consistente en ancha losa tersa, y a la mitad de la losa, sin epitafios ni letreros, mandó entallar, hondo, el solo nombre de Santa en grandes caracteres, para que ni la lluvia ni la hierba borráranlo o escondiéranlo, y para poder él leerlo y releerlo de la única manera que sabía leer: con el tacto de sus dedos.

...El tiempo continuaba rodando; ya Santa llevaba meses de enterrada, e Hipólito no faltaba ni un día a echarse de bruces sobre el sepulcro; las manos repasando el nombre poema.

Y sucedió una vez, cuando Hipólito ya no tenía qué dar a Santa —ni lágrimas, porque se las había dado todas—, que de tanto releer en alta voz el nombre entallado en la piedra: ¡Santa!... ¡Santa!... vínole a los labios, naturalmente, una oración: y oraciones sí que no se las había dado nunca. Pero ¿podría rezarle?... Siendo él lo que era y ella lo que había sido, ¿valdría su rezo?

De rodillas junto al sepulcro, resistíase a orar... ¿Qué eran ella y él?... ¡Ah!, ahora sí que veía, veía lo que eran: ¡Ella, una prostituta, él un depravado y un miserable!

Sólo les quedaba Dios. ¡Dios queda siempre! ¡A Dios se asciende por el amor o por el sufrimiento!

Transfigurado, su rostro horrible vuelto al cielo, vueltos al cielo sus monstruosos ojos blanquizcos que desmesuradamente se abrían, escapado del vicio, liberado del mal, convencido de que ahí, arriba, radica el supremo remedio y la verdadera salud, como si besase el alma de su muerta idolatrada, besó el nombre entallado en la lápida, y, como una eterna despedida, lo repitió muchas veces:

—¡Santa!... ¡Santa!...

Y seguro del remedio, radiante, en cruz los brazos y de cara al cielo, encomendó el alma de su amada, cuyo nombre puso en sus labios la plegaria sencilla, magnífica, excelsa, que nuestras madres nos enseñan cuando niños, y que ni todas las vicisitudes juntas nos hacen olvidar:

Santa María, Madre de Dios...

principió muy piano, y el resto de la súplica subió a perderse en la gloria firmamental de la tarde moribunda:

Ruega, Señora, por nosotros los pecadores...

TÍTULOS DE ESTA COLECCIÓN

Canek. *Ermilo Abreu Gómez*

Clemencia. *I. M. Altamirano*

Cuentos de Invierno. *I. M. Altamirano*

El Zarco. *I. M. Altamirano*

Navidad en las Montañas. *I. M. Altamirano*

Popol Vuh. *Anónimo*

Santa. *Federico Gamboa*

Impreso en los talleres de
Trabajos Manuales Escolares,
Oriente 142 No. 216
Col. Moctezuma 2a. Secc.
Tels. 5 784.18.11 y 5 784.11.44
México, D.F.